El médico en tu cocina

El médico en tu cocina

Recetas sabrosas para comer sano todo el año

Dr. Jordi Forés Colomer y Dra. María Pérez Benítez

Plataforma
Editorial

Primera edición: junio de 2013
Segunda edición: noviembre de 2013

© Jordi Forés y María Pérez, 2013
© de las fotografías de las recetas, Carles M. Gómez-Quintero
© del prólogo, Sor Lucía Caram
© de la presente edición: Plataforma Editorial, 2013

www.foresperez.com

Plataforma Editorial
c/ Muntaner, 269, entlo. 1ª – 08021 Barcelona
Tel.: (+34) 93 494 79 99 – Fax: (+34) 93 419 23 14
www.plataformaeditorial.com
info@plataformaeditorial.com

Depósito legal: B.10.125-2013
ISBN: 978-84-15750-97-0
IBIC: WBH
Printed in Spain – Impreso en España

Diseño de cubierta:
Agnès Capella Sala

Fotocomposición:
Grafime

El papel que se ha utilizado para imprimir este libro proviene
de explotaciones forestales controladas, donde se respetan
los valores ecológicos, sociales y el desarrollo sostenible del bosque.

Impresión:
Litografia Rosés
Gavà (Barcelona)

Dedicado a nuestras hijas María y Clara,
por ser la fuerza que alimenta nuestra vida.

66 El alimento es lo exterior interiorizado y la calidad de los alimentos consumidos tendrá invariablemente una influencia en el estado del organismo.**99**

Dres. Forés-Pérez

Índice

Prólogo de Sor Lucía Caram

> 66 La tierra ha dado su fruto,
> nos bendice el Señor nuestro Dios. 99
> **Salmo 67**

Para mí supone un auténtico privilegio en este momento compartir con mis amigos los doctores Jordi Forés y María Pérez el fruto maduro de años de coherencia y siembra silenciosa, a través de sus hábitos saludables y de su empeño por ayudar a sus pacientes a conseguir la salud, a conservarla y a no enfermar a través de una alimentación no solo sana y equilibrada, sino también siguiendo el ritmo de la naturaleza.

«Somos naturaleza», decía José Luis Sampedro, y esta convicción nos lleva a concebirnos como una unidad con todo el cosmos, nos abre los ojos para reconocer que la tierra tiene sus ritmos y que los nuestros están en profunda armonía con los suyos.

El médico en tu cocina nos ayudará a sintonizar con los ritmos de la naturaleza y a reconocer los productos que nacen de ella y que nos ofrece de forma generosa y gratuita en cada estación.

Conocí a Jordi y a María en sus primeros años de profesión y a su lado recuperé la salud. Ello me llevó a acercarme un poco más a aquello que animaba su pasión por las personas y a descubrir la filosofía holística-humanista que inspiraba y animaba el protocolo de atención a los pacientes. Pude así descubrir el secreto más profundo de sus inquietudes y el afán de ambos por ir siempre al fondo, a la raíz de las cosas, para poder ofrecer soluciones integrales para el cuerpo y para el alma.

¡Cuántas veces les oí repetir que no hay enfermedades, sino enfermos!; personas que enferman y sanan; personas con sentimientos, emociones, espiritualidad y con un cuerpo que nos habla a través de diversas formas, de síntomas, de aquello que nos lleva con frecuencia a perder la salud, la energía, las fuerzas. Con ellos aprendí la importancia de escuchar y de escucharnos; de escuchar al cuerpo y saber por qué a veces se queja y nos manda avisos.

Juntos asumimos la aventura de escribir **Saludablemente bien**, un libro en el que pude enriquecerme con la experiencia y el testimonio de sus pacientes, pude interiorizar los diversos tratamientos que les ofrecían, comprobando que en todos la alimentación y el contacto con la naturaleza desempeñaban un papel esencial. Pasamos muchas horas conversando y compartiendo.

Por aquellos años, Jordi y María eran algo así como una voz que clamaba en el desierto, invitándonos a despertarnos, a volver a los hábitos saludables, a reconciliarnos con la tierra, a consumir en cada temporada los frutos que ella nos ofrece; a huir de la cocina rápida y de los conservantes y aditivos que poco a poco nos estaban envenenando. Jordi y María hablaban de ecología, de consumo responsable, del cuidado del planeta y de la corresponsabilidad de todos en esta tarea, de huida del estrés. Invitaban a un estilo de vida integrado y energético, saludable, que no significaba volver atrás, a la Edad de Piedra, ni el rechazo *a priori* de los avances de la sociedad, sino fundamentalmente, saber hacia dónde nos dirigimos y decidir cómo queremos avanzar.

Pocos se apuntaban a su discurso y otros tantos no les comprendían. Hoy, todo eso es fácilmente aceptado y hasta se está imponiendo como moda. Entonces, se les miraba como a bichos raros, y con poca tolerancia; incluso algunos se burlaban del camino que señalaban y que ofrecían a pesar de sus notables resultados, y no faltaron aquellos que les persiguieron «porque tenían intereses creados» y Jordi y María significaban el despertar de una nueva conciencia. A pesar de los palos a la rueda, y fieles a su conciencia y a su compromiso con la tierra y con las personas, no claudicaron de sus principios.

«No sabemos comer. Comemos mal, comemos poco o demasiado y no siempre somos disciplinados para comer a las horas y evitar los picoteos, lo que es peor –decía María–, pretendemos comer caprichosamente durante todo el año lo que "nos apetece", aunque eso implique traer según nuestros antojos los productos de la otra punta del planeta, aunque pierdan el sabor original y deban ser procesados para llegar a nuestra mesa hermosos por fuera, pero cargados de productos nocivos que, a la larga, nos hacen enfermar. Nos alimentamos con comida "basura" y hasta presumimos de ello.»

Después de años de bonanza económica, de consumo irresponsable de los recursos, de depredación voraz del planeta, de haber vivido subidos al tren de alta velocidad de nuestras necesidades insaciables, parece que hemos tocado fondo, y por fin somos conscientes de que tenemos que trabajar para vivir, y no vivir para trabajar; que tenemos que comer para vivir, y no vivir para comer, y que conviene comer aquello que la tierra nos puede dar sin hacerle daño y abusar de ella.

La era de los transgénicos y la gran depredación del planeta es el grito de alerta para cambiar el ritmo y el rumbo y para recuperar la vida con calidad y sentido.

La persistencia y la convicción, la coherencia y la evidencia de los resultados, hoy les dan la razón.

No puedo evitar, tal vez por defecto profesional, o convicción espiritual, hacer memoria de tiempos más remotos y evocar a Francisco, el pobre de Asís, que, desnudo y sin seguridades, supo extasiarse ante la naturaleza y cantar agradecido y a pleno pulmón al Creador «por la hermana nuestra madre tierra, la cual nos sostiene y alimenta y produce diversos frutos con coloridas flores y hierbas». Tampoco podemos olvidar, en la misma línea, las culturas originarias andinas que celebran y rinden culto a la «Pachamama», la madre tierra que nos da la vida y nos permite mantenernos en ella. Incluso puedo irme más allá, al siglo V a.C., y evocar al padre de la medicina moderna, a Hipócrates, que ya decía: «Que el alimento sea tu mejor medicina y tu mejor medicina sea tu alimento».

El médico en tu cocina es un libro que recoge la sabiduría de los antiguos y que pone al día la necesidad de vivir con salud y sentido; que nos ofrece las herramientas necesarias para reconciliarnos con la «cocina saludable» y que nos enseña a cocinar aprovechando al máximo los nutrientes de los alimentos. Un libro que nos señala un camino en el que nosotros mismos podemos ser los protagonistas de nuestra salud.

Los doctores Forés-Pérez nos llevan desde la consulta y sus años de experiencia hasta los fogones de su casa, y allí nos revelan el secreto de eso que llamamos «salud» y que se puede servir siempre y de forma apetecible, creativa y rica en nuestras mesas.

Os invito a entrar en la dinámica de **El médico en tu cocina** para comprender los ritmos de la naturaleza y disfrutar de los frutos de la tierra, que son sin duda una bendición de nuestro Dios, que al acabar su obra creadora –nos dice el libro del Génesis– vio que «todo era muy bueno», y «todo lo puso a nuestra disposición para vivir».

SOR LUCÍA CARAM

Introducción

Este libro y DVD van dirigidos a todas aquellas personas que desean **aprender a alimentarse y cocinar de una forma saludable**. La nutrición que proponemos respeta las estaciones y los movimientos de la naturaleza, así como los productos que nos da la madre tierra en cada momento del año. Esta nueva forma de nutrición busca asimismo el propio equilibrio del cuerpo en función de nuestras circunstancias personales.

Creemos que algo tan básico y esencial como es «alimentarse» debe ser una tarea sencilla y asequible para todos. En este libro y DVD se pueden consultar recetas básicas, diferentes estilos y métodos de corte, al tiempo que visualizar paso a paso, de forma sencilla, didáctica y fácil, cómo llevarlas a la práctica en sus casas sin dificultad. También se analizan diferentes características culinarias, propiedades y efectos que produce la alimentación en todo nuestro organismo, para así elegir los platos según el momento y la estación del año en la que nos encontremos.

Les mostramos además un completo glosario de alimentos, algunos de ellos «nuevos», que aún no están en nuestro vocabulario habitual y tradicional de cocina. Esperamos que a partir de ahora se conviertan en un nuevo amigo y aliado de nuestra rica y variada despensa, pues complementan muy bien nuestros platos y nos ayudan a mantenernos en equilibrio y salud.

Así, intentaremos resolver preguntas habituales como: «¿Sabré cocinar bien una proteína vegetal como el tofu?»; «¿cómo prepararla para que nos quede sabrosa y apetecible?»; «¿la digeriremos bien?», etc.

Nuestro objetivo es enseñar a cocinar nuevos platos, «nuevos» alimentos, de forma clara, amena y a la vez educativa.

En nuestro centro médico entendemos la salud desde un punto de vista holístico, que valora a la persona no solo desde su aspecto físico, sino también mental, emocional, social..., lo cual nos lleva a trabajar la nutrición y tratar los alimentos desde la misma perspectiva.

Por este motivo, en el libro encontrarán el testimonio de algunos de nuestros pacientes que han querido colaborar con nosotros relatando cómo ha sido su experiencia al introducir en sus vidas cambios en los hábitos de alimentación. También encontrarán algunos consejos sobre nuestra salud en las diferentes estaciones del año fruto de nuestra experiencia en la práctica médica diaria.

En esta aventura nos han acompañado nuestros amigos Toni Ribas, experto cocinero, y David Gasol, especialista en dietética y nutrición, a quienes agradecemos profundamente su colaboración.

Presentación de los autores

Nuestras vidas se unieron por primera vez en la Facultad de Medicina de Huesca. Cuando se cruzaron nuestras miradas en el patio de la Universidad, supimos que ya nunca más se iban a separar, y así ha sido.

Compartimos desde entonces largas horas de estudio y amor por la medicina, hablando en nuestras horas de descanso de lo maravilloso que sería poder ayudar a las personas a recuperar su salud, acompañarlas en su enfermedad, así como en la búsqueda de un diagnóstico y un tratamiento que restablezca su salud.

Después de tres años en Huesca, nos fuimos a la Universidad de Navarra para proseguir nuestros estudios. Una vez en Pamplona, compartíamos piso con otros estudiantes. Además de tener que realizar las tareas domésticas en la casa, teníamos que preparar nuestras comidas. ¡Fue una gran experiencia!

Cada uno cocinaba los platos básicos de su lugar de origen y así conocimos recetas diferentes y de distintas regiones, que fuimos sumando a nuestro recetario básico de supervivencia en esa etapa, pero, en los últimos cursos, abusamos de los bocadillos, de la cocina precocinada, de los embutidos, de comer a deshoras y deprisa. El horario de las clases y de las prácticas hospitalarias, las horas de estudio... todo era muy intenso y no teníamos tiempo para cocinar como al principio. Fue entonces cuando tuvimos nuestro primer problema serio de salud: la Dra. Pérez padeció un cólico nefrítico severo acompañado de una anemia ferropénica importante. Los médicos no entendían cómo podía mantenerse en pie. El cólico nefrítico se solucionó, pero no pudieron encontrar ninguna razón al porqué de la anemia ferropénica, atribuyéndola quizás a unas menstruaciones abundantes (que no era el caso). En esa época, el Dr. Forés estaba empezando a estudiar Acupuntura y Medicina China y consultamos con su profesor, Ángel García, quien nos pautó un tratamiento con acupuntura. Tres días a la semana el Dr. Forés «practicaba» con María lo que aprendía, bajo la supervisión de Ángel. Con el paso de los días y las semanas, los análisis clínicos acreditaban que la anemia ferropénica se iba normalizando. Los médicos estaban asombrados, lo veíamos en sus ojos, pero no pudimos convencerles de que María no tomaba el tratamiento prescrito por ellos y que solo estaba haciendo acupuntura. Este hecho marcó nuestro devenir como médicos. Nos entró una gran curiosidad por saber más sobre las medicinas alternativas y empezamos a compaginar nuestros estudios en la facultad con cursos especializados en medicina china, iridología, acupuntura, homeopatía... Fue una etapa maravillosa de nuestras vidas.

ALIMENTACIÓN Y SALUD

En ese mismo período, el Dr. Forés empezo a padecer un acné muy severo, al mismo tiempo que un eccema dishidrótico en las manos y en los pies que le hacía escribir y andar con dificultad. Después de aplicarse cremas con cortisona y antibióticos sin apenas resultados, consultamos al que entonces era nuestro profesor de homeopatía y también amigo, el Dr. Christian Maccia. Este gran médico homeópata venía desde Jerusalén expresamente cada mes para impartir clases de Medicina Homeopática en Estella, junto con nuestra amiga la doctora Juana Roa. Le consultamos el problema de Jordi y nos prescribió unos medicamentos homeopáticos, pero lo que más nos llamó la atención fue que hizo hincapié en que dejara los embutidos, la carne roja, los azúcares y la leche. Por aquel entonces, éramos muy incrédulos en relación con el tema de la alimentación y, a pesar de que Jordi siguió el tratamiento homeopático, no le hicimos caso con respecto a los alimentos. Al cabo de dos meses el eccema y el acné habían disminuido, pero no lo suficiente, y no vimos una gran mejoría hasta que empezamos a retirar los alimentos que nos había indicado. Entonces comprendimos que la alimentación desempeña un papel determinante en la salud de las personas. Nos dimos cuenta también de que, además de la medicina convencional, hay otras medicinas con planteamientos distintos que son muy eficaces y lógicas y que ayudan a restablecer de una forma natural la salud de todos nosotros. Ello nos dio el impulso y la seguridad necesarios para seguir estudiando, investigando y aplicando, posteriormente, otras corrientes terapéuticas, que son las que utilizamos actualmente en la consulta.

Tiempo después, terminada la carrera y finalizados los estudios de Homeopatía en Francia, nos fuimos tres meses a Cali, Colombia, para trabajar y estudiar Medicina Biológica y Homotoxicología en la Clínica del Dr. Arturo O´Byrne, donde, para empezar, la comida era ovolactovegetariana, sin carne ni pescado, y basaban todas sus actuaciones, primero, en un cambio de alimentación y, después, en la aplicación de distintos tratamientos de medicinas alternativas con grandes resultados. Allí hicimos nuestro primer ayuno terapéutico. Disfrutábamos de una fruta espectacular, al ritmo de cumbias y ballenatos... pero, fuera de la fiesta, aprendimos realmente la importancia de cuidar nuestro cuerpo en todas sus vertientes, siendo los alimentos los mejores aliados para restablecer la salud, pero también los peores enemigos para enfermar si no somos conscientes de ello.

COCINA ENERGÉTICA

A nuestro regreso, ya metidos de llenos en la consulta homeopática y biológica, tratando al paciente de una manera integral, seguimos profundizando en el tema de la alimentación, pasando por algunos fundamentos, corrientes y escuelas, hasta que la Dra. Pérez conectó con la cocina energética; primero con Elena Corrales (bioquímica), con la que encontró muchas respuestas a sus también numerosas preguntas, y empezó a entender el efecto que a nivel físico –pero también mental y emocional– tienen cada uno de los alimentos. ¡Fue como abrir una puerta a un mundo donde todo tomaba sentido! Y una vez comprendido a nivel mental, necesitaba pasar a la acción y practicar, es decir, cocinar.

La Dra. Pérez conoció y realizó los estudios de cocina práctica con Montse Bradford. «Fue un viaje espectacular, pues, por primera vez, no solo cocinaba la receta, sino que cocinaba con la mente, el cuerpo y todo mi espíritu, cobrando todo una dimensión nueva.» Tras su propia experiencia, comenzó a aplicar estos conocimientos en la consulta, y el resultado fue magnífico... De hecho, este es el motivo por el que hoy estamos escribiendo este libro y DVD.

Estamos convencidos de que los alimentos y la forma en que nos nutrimos son fundamentales para el desarrollo de toda nuestra vida, y este conocimiento nos parece hermoso compartirlo. El camino no ha sido fácil, pero queremos hacerlo cómodo, no solo para nosotros y los pacientes de nuestra consulta, sino para todos aquellos que con la misma inquietud lean este libro.

Cuando empezamos Medicina, nunca imaginamos que terminaríamos «cocinando» (¡si esto no se enseña en la facultad!), pero ha sido fundamental en nuestro proceso de crecimiento personal y así lo queremos comunicar.

Nos gustaría que el lector conectara con la Naturaleza que lo rodea, aunque no tenga huerto, y conozca qué alimentos hay en cada momento del año, qué nos ofrece cada estación y qué productos deberían encontrarse en el mercado, para saber elegir. Y también que aprendiera los diferentes tipos de cocción para cada alimento y estación. Hay quienes nacen con el don de cocinar y otros lo tenemos que trabajar, pero siempre podemos aprender.

Todo esto es cuanto deseamos transmitirles en este libro para que vivan con y en salud.

DRA. MARÍA PÉREZ
Y DR. JORDI FORÉS

Aspectos generales de la alimentación

> **66** Mima a la naturaleza
> y la naturaleza cuidará de ti. **99**
> **Dres. Forés-Pérez**

¿QUÉ ES UN ALIMENTO?

Quizá sea una pregunta obvia pero, dada la cantidad de ingredientes que contienen los alimentos (solo hay que leer cualquier producto del supermercado), creemos imprescindible distinguir lo que es un alimento de lo que es «cualquier otra cosa» que ingerimos o comestible.

Diferenciémoslos:

1. Alimento natural

Es todo **el que se produce en la naturaleza.**

Los diferenciaremos de los alimentos **«industriales»,** que son sustancias elaboradas, como las sopas de sobre, los refrescos, los chicles, caramelos... Los productos industriales, en general, deberían ser desechados de nuestra alimentación habitual.

2. Alimento integral

Es el que, además de ser natural, **se consume íntegro, entero**, sin desperdiciar las partes nobles como la piel. Por ejemplo, el arroz integral, que es precisamente en la cáscara donde contiene la mayor riqueza de elementos protectores, como vitaminas y minerales.

El alimento integral tiene además **un importante efecto regulador de la acidez del medio interno.**

3. Alimento biológico

Es el que, además de ser natural e integral, se ha cultivado sin la adición de abonos químicos ni pesticidas.

Ingerir alimentos biológicos es **muy importante para regular los niveles de oxidación del medio interno.**

4. Alimento terapéutico

Además de ser natural, integral y biológico, tiene una relación sodio/potasio (Na/K) semejante al de nuestras células. Son alimentos que **permiten reequilibrar la homeostasis,** es decir, **son equilibradores del medio interno.**

Los alimentos –si son los apropiados– permitirán al cuerpo recuperarse solo; si son inapropiados, es posible, incluso, que le impidan recuperarse.

Hay diversas maneras de reequilibrar el complejo sistema de nuestro cuerpo y depende de cada uno de nosotros descubrir y servirse de aquellas herramientas que sean oportunas y provechosas para nuestra vida.

BONDADES DE LOS PRODUCTOS ECOLÓGICOS Y BIOLÓGICOS

Son los alimentos que aconsejamos consumir por sentido común y por sus muchas ventajas. Los consideramos buenos porque:

- Consumirlos es invertir en nuestra salud, en calidad de vida y en el futuro de la humanidad, lo cual es una decisión «responsable».
- Son sanos y equilibrados y, por tanto, aumentan el rendimiento vital.
- Conservan el equilibrio en sus nutrientes, sales minerales...

- Mantienen el sabor genuino.
- Colaboran en la conservación del medio ambiente al no envenenar el suelo y desnutrirlo, respetando los ciclos biológicos de los microorganismos, la flora y fauna que habitan dichos terrenos, imprescindibles para la vida, permitiendo que el suelo se regenere por sí mismo.
- Se asimilan fácilmente sin alterar las funciones metabólicas.
- Nos permiten utilizar productos locales y de la estación, respetando el momento y lugar donde nos encontramos, un factor importante para nuestro propio equilibrio interno.
- No contienen productos químicos de laboratorio o de síntesis (pesticidas, aditivos, etc.).

NUESTRO CUERPO

Solo el hecho de abrir los ojos por la mañana y decidir levantarnos ya requiere energía y sustancias que puedan llevar a cabo dicha acción; sin ellas, no es posible llevar a término nuestras decisiones: caminar, lavarnos los dientes, pensar, hablar, reír, trabajar, correr, disfrutar, soñar, dormir, respirar...

Imaginemos nuestro organismo como una pecera en la que los peces están nadando felices en el agua. Evidentemente, para que los peces crezcan y vivan de forma saludable, el agua debe tener los ingredientes necesarios, el pH adecuado, un sistema de reciclado de desechos, una luz suficiente para que no se desarrollen ciertas bacterias que puedan dañar a nuestros peces... En fin, un sistema en equilibrio perfecto para que la vida en salud sea posible.

Siguiendo el símil, imaginemos que las células de nuestro cuerpo son los peces y el medio que las rodea lo llamaremos mesénquima. La salud y las condiciones de este mesénquima son de vital importancia, pues es allí donde se recibe la llegada de nutrientes que van a utilizar las células para regenerarse y obtener la energía necesaria para que cada una realice la función que le ha sido asignada; y porque también es allí adonde van a parar los residuos o basura, que será transportada por el torrente sanguíneo hacia los órganos encargados de la limpieza y posterior eliminación.

Dependiendo de cómo esté ese medio, así será la calidad de nuestras células y, por tanto, gozaremos de mayor o menor salud.

Todas las recetas presentadas a continuación poseen los nutrientes básicos que necesitamos para mantener en armonía el mesénquima y bien abastecidas nuestras células, respetando su estructura anatomoquimicofisiológica.

Estaciones y cualidades en la cocina

66 No comas solo por placer, aunque puedas encontrarlo. Come para ser más fuerte. Come para conservar la vida que se te ha concedido. **99**
Confucio

Nota

En algunos platos hacemos referencia a otras recetas básicas.
Para evitar repetir el apartado dedicado a su elaboración,
indicamos en qué parte del libro se encuentran mediante
una letra que se refiere a la estación del año (**P** = primavera,
V = verano, **O** = otoño, **I** = invierno) seguida del número de la
receta (por ejemplo: **V1** = receta n.º 1 del verano).

Abreviaturas

cc = cucharadita de café
cp = cucharadita de postre
cs = cucharada sopera

Primavera

¡Llega la primavera! Empieza el 21 de marzo, cuando el día iguala a la noche. Más horas de sol, más luz...; todo brilla de otra manera, la naturaleza que nos rodea se despierta, es la estación verde, es el momento de las plantas, que después de germinar dentro de la tierra, empiezan a florecer. Igual ocurre dentro de nosotros: nuestra energía y entusiasmo parecen florecer; es el momento de abrirnos, limpiarnos y purificarnos de forma «gradual» de los excesos del invierno. En primavera ya empezamos a planear las vacaciones del verano, a salir más... Queremos hacer más actividades fuera de casa, disfrutar del sol, la brisa, hasta de la lluvia ligera.

Para nosotros, la mejor medicina que puede existir es la medicina preventiva. Muchas veces los pacientes, cuando vienen a vernos, se sientan y, tras un afectuoso saludo, nos dicen:

—Buenos días, doctor, no sé qué contarle porque me encuentro muy bien, creo que ya me puede dar el alta.

Tras las palabras «me encuentro muy bien», una gran satisfacción y alegría nos invade y les contestamos:

—Me alegra mucho saber que te encuentras tan bien; este era nuestro objetivo, pero ahora empieza la verdadera medicina; conseguir que pasen las semanas y los meses y que te sigas encontrando igual de bien.

Todo ello se puede conseguir con el conocimiento de nuestro cuerpo, estando atento a las señales de alarma que nos proporciona, como por ejemplo, en el caso de aquellas personas que empiezan a tener malas digestiones de forma reiterada pero que no hacen nada para remediarlo porque piensan que será pasajero; o cuando comienza a sentirse aquel dolor en las rodillas al bajar las escaleras; o cuando el insomnio se repite una y otra vez cada semana y al que tampoco damos importancia; o cuando se experimenta aquel estado anímico bajo que algunas personas empiezan a padecer en determinados momentos pero que, tal como viene, se va... y tantas y tantas alarmas que nuestro sabio organismo nos da pero que no escuchamos. De ahí la importancia de prevenir, de estar atentos a lo que nos cuenta el paciente, y también a lo que no dice, de observar y escuchar de forma especial para poder llegar a encontrar esa alarma que ha podido pasar inadvertida incluso para uno mismo.

Así que le continuamos explicando: «... por eso, ahora que estás bien, que te encuentras bien, vamos a intentar mantenerte en un buen estado de salud. Con tu enfermedad y con todo lo que has padecido y todo lo que me has contado, eres tú quien me ha enseñado tu propia realidad como persona y ser humano, tanto desde el plano físico como desde el nivel emocional. Vamos a intentar, los dos juntos, conseguir que te mantengas igual de bien y, para ello, tenemos que continuar con una buena alimentación que te aporte energía, vitalidad, y dejar que los alimentos actúen como si fueran tus mejores medicinas. Vamos a desestimar todo aquel producto que no sea de temporada, todo aquel producto refinado, precocinado industrialmente. Intentaremos que tu alimentación, tal y como te hemos enseñado, siga igual de sana y saludable como hasta ahora. Mantendremos la práctica de aquellos ejercicios que mínimamente te conserven en una buena forma física y te iré visitando en los cambios de estación para saber cómo te vas encontrando y así descubrir alguna alarma que pudiera ocasionar en un futuro algún tipo de dolencia, en cuyo caso buscaríamos la mejor solución para evitarla. Y todo ello se basa en un compromiso por las dos partes».

CASOS ESPECIALES

Recordamos especialmente a un niño que se llama Óscar, al que trajeron sus padres a nuestra consulta porque llevaba más de un año con bronquitis repetitivas que empezaban en septiembre y no terminaban hasta junio. Siempre estaba enfermo –dos semanas en casa y una en el colegio–, y tomaba continuamente antibióticos, mucolíticos, broncodilatadores..., lo que era un calvario para los padres. Cansados y angustiados de ver que su hijo no salía de este círculo vicioso, vinieron a consultarnos. Después de una larga visita, nos dimos cuenta de que Óscar se alimentaba básicamente de leche, muchas veces con chocolate y más azúcar de lo conveniente. Apenas comía verduras y frutas, pero sí mucha pasta y harinas variadas. Con esta alimentación, especialmente con el exceso de leche, la mucosidad sería casi imposible de erradicar, con lo que tuvimos que hablar con sus padres para intentar cambiar durante unos meses esta forma de alimentarse y reducir el exceso de productos lácteos, ya que tomaba leche con chocolate y cereales para desayunar, un yogurt a media mañana y después de comer, a media tarde y por la noche, al acostarse, otra vez leche. Llegamos al acuerdo de sustituir la leche de vaca por leche vegetal (mejor de arroz o de quinoa, hervida con una pizca de sal durante 10 minutos a fuego medio/bajo), así como de cambiar los yogures y similares por fruta cocida con una pizca de sal o papilla de frutas en compota –pero siempre y cuando fuera hecha en casa–, y no preparados de papillas llenas de azúcares. Solo con este cambio, después de un mes, los padres notaron una gran disminución de la mucosidad sin haber hecho apenas nada más; ahora las bronquitis eran más fáciles de tratar porque ya no eran tan severas. Pero ese no fue el único logro, ya que el carácter del niño mejoró notablemente.

En resumen, en caso de mucosidad, recomendamos evitar ingerir:

- Alimentos horneados (pan, pastelería, pizza...) y harina refinada, así como alimentos fritos.
- Leche de origen animal y sus derivados.
- Alimentos muy salados y grasas saturadas, como la carne o los embutidos.
- Huevos.
- Azúcar, miel, chocolate, refrescos, alcohol (en el caso de adultos, claro).

Al mismo tiempo que indicamos estos cambios alimenticios, le dimos a Óscar un tratamiento homeopático adecuado para su bronquitis específica y un tratamiento de base con Oscillococcinum una vez por semana para estimular sus defensas. Esto nos ayudó a que sus crisis fueran cada vez más espaciadas en el tiempo.

En pocos meses Óscar ya no tuvo necesidad de tomar medicamentos convencionales alopáticos y continuó solamente con el tratamiento natural y con las pautas de alimentación dadas, y al año estaba recuperado casi al cien por cien, sin crisis repetitivas. Solo tenía algún resfriado de vez en cuando, pero que nunca se complicó; es decir, lo habitual en todos los niños de su edad. A partir de entonces, le fuimos dando un tratamiento de mantenimiento y preventivo homeopático y seguimos con una buena alimentación. Al cabo de un tiempo, Óscar vino muy enfurruñado a vernos con su madre, y cuando le preguntamos por qué estaba tan enfadado, esta nos contó que no quería venir a vernos, que quería jugar en casa; que si no tenía tos, ni mocos, ni fiebre, no tenía por qué ir al médico.

Entonces le dijimos: «Oscar, ¿te acuerdas cuando venías y casi no podías respirar; cuando no podías jugar con tus compañeros porque te ahogabas, que pasabas más tiempo en casa que en el colegio, donde es todo más divertido? ¿Te acuerdas de que cuando estabas malito en casa les decías a tus padres que llamaran al médico de las bolitas? Pues ahora puedes jugar al fútbol sin cansarte y sin tos; y ya no te quedas enfermo en casa. ¿No te gusta estar así de bien?». No nos contestó, pero se fue relajando mientras le hablábamos con el tono más dulce y paternal que podíamos emplear, y dejó de mirarnos tan enfadado. ¡Qué alivio! Le entendíamos perfectamente. Si ya es difícil para los mayores entender la medicina preventiva, ir al médico tres o cuatro veces al año para contarle que estás bien, a un niño, hacerle entender que tiene que dejar de jugar, de ir al entrenamiento de fútbol o a clase de música para ir al médico es más difícil.

Una vez terminamos de hablar con Óscar y con sus padres nos despedimos hasta la siguiente estación; les acompañamos a la puerta y, cuando regresamos al despacho, oímos unos pasos acelerados, y pensamos que Óscar se había dejado algún juguete de los que traía, pero no: entró como una flecha en la consulta, se abalanzó hacia nosotros con los brazos abiertos, nos dio un beso en la mejilla y, tan rápido como entró, se marchó. Nos quedamos inmóviles, queríamos retener aquella dulce sensación de haber conectado con Óscar, su forma tan pura de agradecimiento, el mejor regalo que se le puede dar a un médico. Aquel beso aún perdura en nuestra memoria y nuestro espíritu; fue uno de los mejores regalos que hemos recibido.

A partir de aquella visita, Óscar viene siempre a la consulta sonriente y nos da un beso al llegar y otro al salir, y nunca más lo hemos visto enfadado.

Sabemos por la literatura que a los niños siempre se les describe como «mocosos». Eso quiere decir que los pequeños tienen la característica común de tener un exceso en la producción de mucosidad. Si les damos una alimentación basada en un consumo excesivo de leche de vaca y sus derivados, así como de azúcares refinados, productos de origen animal, huevos, horneados y fritos, por experiencia veremos que esta mucosidad aumentará y con ella el peligro de estar permanentemente con otitis, sinusitis y bronquitis repetitivas. Tenemos que intentar que este exceso de mucosidad disminuya y pueda ser eliminada; por ello, cuando entra en la consulta un niño con dos grandes velas de mocos asomándose por la nariz y la madre alarmada porque su hijo está «enfermo» por tener tanta mucosidad, la intentamos tranquilizar; porque en realidad se trata de un niño sano que hace lo que tiene que hacer para liberarse de lo que le perjudica, y mientras le salga por la nariz y no vaya hacia los oídos o hacia los pulmones, estaremos relativamente tranquilos. La tranquilidad total vendrá cuando la mucosidad disminuya, y eso lo conseguiremos modificando la alimentación. Así pues, no debemos tratar de atajar de entrada los mocos de un niño con jarabes y antibióticos, sino que tenemos que ayudar a que los expulse, con una adecuada alimentación, como ya hemos comentado, y utilizando también lavados de agua de mar. ¡Seguro que habréis observado, cuando vais a la playa y os bañáis en el mar, lo fácil que se eliminan las mucosidades! Por eso, mientras el tiempo nos lo impide, aconsejamos usar los sprays de agua marina que se venden en los herbolarios y farmacias dos veces al día. Otra opción sería la utilización de la lota nasal, un método muy antiguo para la limpieza de las fosas nasales y los senos maxilar y frontal. La lota nasal es como una especie de tetera pequeña. La llenamos con agua tibia y una cucharadita rasa de sal marina, colocamos el extremo alargado de la lota sobre una fosa nasal y, con la cabeza ligeramente inclinada –lateralmente y siempre hacia delante–, dejamos pasar el agua con la boca entreabierta, porque aunque el agua pasa de una fosa nasal hacia la otra, el exceso de mucosidad hace que una parte vaya hacia la boca y, al tener esta abierta, la podremos eliminar sin dificultad. No obstante, pensamos que este método resulta más adecuado para la gente adulta. En un niño, es mejor utilizar el spray, que ya viene preparado para este uso. Pero la mejor solución es siempre acompañarlo con una alimentación supervisada por nuestro médico homeópata.

La mayoría de nuestros pacientes nos pregunta por qué su pediatra nunca les ha dicho nada al respecto de la alimentación. Hasta ahora, la medicina convencional no ha otorgado a la alimentación la importancia que tiene, así como tampoco ha reconocido su influencia en nuestra salud, principalmente porque apenas se estudia en la universidad. Pero en los últimos años diversos estudios confirman que la nutrición no solo influye, sino que además es determinante en la mayoría de situaciones para poder resolverlas.

ALERGIAS

En primavera es clásica también la alergia estacional. Principalmente la rinitis alérgica y la bronquitis asmática. En estos casos, la prevención se debería iniciar antes de la eclosión floral que tanto afecta a estos pacientes para minimizar los síntomas y, una vez pasada la primavera, se debería continuar con un tratamiento preventivo para que al año siguiente el impacto sea mucho menor y mejoren progresivamente. Los niños reaccionan muy bien al tratamiento natural y normalmente en dos o tres años tenemos ya a unos niños sanos. Pero aun así deberemos estar siempre atentos, porque no deja de ser alérgico quien quiere, sino quien puede, y quien ha sido alérgico, si no se cuida a lo largo de su vida, puede volver a padecer los mismos síntomas u otros que, aunque no tengan nada que ver aparentemente con la alergia, sí que guardan relación con una alteración de su sistema inmunológico, que, a fin de cuentas, es el responsable de la alergia. En los adultos la mejoría dependerá también de otros factores, como la presencia o no de tóxicos medioambientales, metales pesados y otras «cargas», claves en su recuperación.

Como norma general, en un paciente con este tipo de alergias es fundamental eliminar durante un tiempo los alimentos que son ricos en histamina, como la carne de cerdo y sus derivados, el chocolate, la leche y sus derivados y los huevos, principalmente, así como el vino o el alcohol y los productos enlatados. Hay otros alimentos, pero en estos casos aconsejamos realizar un Test de Intolerancia Alimenticia personalizado (con el sistema de Biorresonancia

Mora, que se hace en la consulta, y que es rápido y totalmente indoloro) para poder así detectar específicamente cuáles son las sustancias que nos perjudican más.

Hay que evitar de forma habitual o, incluso mejor, retirarlos durante una temporada aquellos alimentos que debilitan nuestro sistema inmunológico, como los productos refinados, los azúcares y los lácteos.

La homeopatía desempeña un papel muy importante tanto en la rinitis alérgica como en la bronquitis asmática. Para la rinitis alérgica, como método preventivo tenemos un producto denominado Pollens 30CH que, tomado de forma regular mediante una dosis por semana un mes antes de la primavera hasta el verano, nos ayuda a desensibilizarnos contra la mayor parte de pólenes que se dan en primavera. Un buen médico homeópata sabrá encontrar para cada paciente aquel o aquellos medicamentos homeopáticos que le ayudarán a mejorar sus síntomas en esta estación.

En la bronquitis asmática, de forma preventiva, tomaremos Pulmón-Histamina 9CH, tres bolitas cada día durante un período de tiempo determinado por nuestro médico, hasta mejorar la hiperreactividad bronquial.

En ambos casos, es necesario un buen tratamiento homeopático de fondo en función de la constitución, la condición, el carácter, etc. de cada persona y según sus propios síntomas. Debemos recordar que estos tratamientos son compatibles con la medicina convencional, aunque, como siempre hemos dicho, antes de tomar algún producto debemos consultar al médico o al farmacéutico especializado en homeopatía.

BRONQUITIS

Cada vez son más los casos diagnosticados de bronquitis asmática. Los más propensos a padecer esta enfermedad son los niños menores de dieciséis años y los adultos mayores de sesenta y cinco. A ello le añadimos otros datos, como que en los niños menores de diez años es la causa más importante de su ingreso en urgencias o en un centro hospitalario y una de las primeras causas de absentismo infantil en la escuela. Esto ha reportado numerosos estudios sobre el porqué de este aumento de casos, y muchos científicos e investigadores han llegado a la conclusión de que probablemente el aumento de esta enfermedad se debe a diversas causas, como son el calentamiento global, que ha ocasionado un aumento de la contaminación en todas las grandes capitales del mundo; el uso de aditivos de nueva generación en los alimentos; el exceso de toxinas debido a una alimentación inadecuada; la exposición a productos químicos procedentes de nuestro entorno y el uso continuado de algunos medicamentos convencionales que debilitan nuestro sistema inmune.

Creemos que está muy bien contar con medicamentos convencionales que nos ayuden a salir adelante de una crisis asmática severa, pero también entendemos que es necesario buscar la causa de la bronquitis asmática y tratarla desde la raíz. Ello implica, una vez más, un cambio en los hábitos de alimentación, intentando consumir productos ecológicos, orgánicos, sin pesticidas ni herbicidas, alimentos del lugar o de zonas próximas, evitar los productos ricos en histamina, aumentar el consumo de pescado no criado en cautividad y de proteínas vegetales. A quienes les guste, el ajo y la cebolla ayudan al organismo a liberar sustancias naturales antiinflamatorias a nivel pulmonar. También recomendamos sustituir los lácteos por «leches» o licuados vegetales (siempre hervidas previamente con una pizca de sal durante 10 minutos), y beber suficiente agua de bajo contenido en minerales. Es imprescindible tener una buena digestión, y para ello hay que evitar los gases y toda comida que sea flatulenta, ya que los gases presionarán nuestro diafragma y el asma empeorará. Aconsejamos asimismo realizar una exploración y seguir un tratamiento osteopático, ya que la osteopatía visceral libera el diafragma, que suele estar bloqueado en los pacientes que sufren esta enfermedad.

A ello añadimos que, a pesar de las dificultades que se tengan para poder practicar ejercicio de manera correcta, no se debe desfallecer en el intento de hacer ejercicio y mejorar nuestra capacidad pulmonar, con la ayuda de un control médico adecuado.

Hay varios nutrientes ortomoleculares que nos pueden ayudar a mejorar en esta situación pero dependerá, como siempre, de cada caso en particular, y será el médico especializado quien determinará qué nutrientes se deberían tomar. De todas formas, un incremento en la ingesta de vitamina C y vitamina B_6 nos puede ayudar como punto de partida, siempre bajo la supervisión de nuestro médico naturópata.

Como ya hemos dicho, una alteración de nuestra flora intestinal puede hacer que nuestro sistema inmunológico se debilite y, por ello, no terminar nunca de estabilizar nuestra enfermedad. La introducción de productos probióticos de calidad nos ayudará a conseguirlo.

No hay recetas mágicas. Y mientras estamos trabajando para buscar una solución, podemos seguir con los tratamientos convencionales, que nosotros, como médicos, no rechazamos, sino todo lo contrario: nos han ayudado muchas veces a salvar vidas, pero también es cierto que son tratamientos que tienen tendencia a cronificar la enfermedad y, por este motivo, buscamos otras alternativas. Empecemos por cambiar los hábitos de alimentación, que no nos cuesta nada, y veamos qué pasa.

Otro motivo de consulta frecuente en los niños es la tos, que en algunos casos es muy intensa por la noche, cuando se duermen; suele ser una tos seca y los pacientes no paran de toser en toda la noche. Después desaparece durante el día y vuelta a comenzar al llegar la noche. Por lo general son niños que llevan tiempo tomando jarabes, incluso que toman broncodilatadores al acostarse por si se tratara de una reacción bronquial asmatiforme. Y nada. Siguen igual. Esta tos puede tener causas muy diversas. Nuestra experiencia en estos casos es muy gratificante. La introducción de pequeños cambios en la alimentación, que dependerá de cada uno en función de sus hábitos, pero que normalmente se basa en evitar el consumo de leche de vaca, azúcares refinados y chocolates, suele ser una constante en todos ellos.

En otros casos, la tos va acompañada de algún otro síntoma, como el picor anal. Cuando les preguntamos a nuestros jóvenes pacientes «¿te suele picar el culete?» empiezan a reírse. Imagínense, todo un doctor detrás de la mesa con su bata blanca, que impone hasta a la enfermera, de golpe se transforma y, poniendo cara de payasete, le suelta semejante pregunta; hasta los padres se ríen, pero, de pronto, el niño contesta: «Pues sí, a veces me pica mucho».

Ya aliviados, preguntamos a los padres si oyen rechinar los dientes de su hijo al dormir, si detectan dolores abdominales, cambios de carácter, si duerme con los ojos entreabiertos...

Todos estos son síntomas inequívocos de parásitos intestinales, es decir, gusanitos. Pero el síntoma principal es el picor anal, aunque ellos vienen a nuestra consulta por una tos seca al acostarse.

Curiosamente, no se suele diagnosticar y, si llevamos a cabo los cultivos, muchas veces salen negativos; pero, si presenta estos síntomas, es casi seguro que el niño tiene parásitos intestinales y por ello los jarabes sirven de muy poco. El tratamiento es sencillo: en cuanto a la alimentación, eliminar cualquier rastro de azúcar durante un tiempo, ya que se ha demostrado que una dieta alta en azúcares aumenta y produce la aparición de síntomas como el rechinar de los dientes o bruxismo, además de que contribuye a alimentar a los parásitos intestinales.

Nosotros prescribimos que los niños, al acostarse, tomen productos con ajo, que funcionan muy bien y que se encuentran en farmacias o herbolarios; y además, que se incluya el ajo en las comidas, sin que lo noten demasiado. También podemos añadir:

- Por las mañanas: semillas de calabaza crudas, bien masticadas.
- En la cena: una ensalada de patata cocida con mucho cebollino crudo con mayonesa de tofu con ajo y pasta de umeboshi.
- Un medicamento homeopático que les va muy bien es Cina 5 CH: tres bolitas al acostarse, siempre y cuando lo considere así su médico.
- Disminuir siempre: el consumo de dulces, lácteos y alimentos refinados.

ASTENIA PRIMAVERAL

En esta estación de la que estamos hablando, no podemos olvidar la famosa astenia primaveral y la forma de prevenirla. Pero ¿cómo podríamos definirla?

La astenia primaveral se caracteriza por un gran cansancio físico y/o intelectual y/o un decaimiento emocional y hace que nuestra actividad habitual sea ardua de realizar. Los síntomas más habituales son tristeza de difícil explicación, inhibición sexual, disminución de la presión arterial, de la memoria, del apetito e incluso, a veces, irritabilidad.

Para nosotros y nuestros pacientes es muy importante, como siempre, anticiparnos a estos síntomas. Por ello empezamos con un cambio en la alimentación: venimos de una estación fría, la del invierno, donde primaban las verduras de raíz (zanahorias, cebollas, chirivías...); una alimentación que nos calentaba al tiempo que nos daba energía y vitalidad para combatir el frío; la alimentación de «los pucheros», que llamamos, la cual se cocina con tiempo, paciencia y esmero. Y debemos empezar, a medida que el frío ya no es tan riguroso, a llevar una alimentación algo más refrescante y ligera; hay que ayudar al hígado y a la vesícula biliar a fin de que puedan llevar a cabo sus funciones, pero sin llegar a optar por una alimentación típica de verano, a la que nos referiremos más adelante en este libro.

Podemos añadir además una buena fuente de jalea real y un complejo multivitamínico, en función de cada uno y de sus necesidades. Asimismo, una buena fuente de antioxidantes como son la vitamina C, la coenzima Q10, el selenio, los betacarotenos y la vitamina E nos ayudarán, como lo hacen todo el año, a poder luchar mejor contra los radicales libres y reforzar así nuestro sistema inmunológico. Como siempre, dependerá del criterio de nuestro médico especialista en medicina ortomolecular.

Ya existen complejos que reúnen todos estos nutrientes y con una sola toma por la mañana habremos cumplido con nuestra particular prevención primaveral. Particularmente, en los pacientes que padecen síndrome de fibromialgia y fatiga crónica, así como en aquellos que presentan problemas psicoemocionales tales como ansiedad, depresión, angustia, etc., hemos

de poder avanzarnos a esta astenia primaveral para que el equilibrio obtenido hasta el momento se mantenga y no se produzca un retroceso.

Hablando de pacientes que sufren fibromialgia y fatiga crónica, nos gustaría subrayar que la alimentación, en este tipo de enfermedad, tiene un papel determinante.

Son personas que generalmente han luchado mucho y lo han dado todo y que, sin embargo, sienten una decepción importante en su vida, por lo que hay que favorecer e introducir con la alimentación mucho dulzor, calor interior, energía y, sobre todo, ayudarles a volver a conectarse con ellas mismas y obtener alegría de vivir.

Se ha de seguir una alimentación que favorezca la depuración del hígado y evitar intoxicarlo con medicamentos químicos, siempre con la ayuda de nuestro médico homeópata.

Los alimentos han de proporcionarnos vida. Si un alimento, por su elaboración, se convierte en un medio muerto, ya no nos nutrirá, ni aportará vitalidad. Como consecuencia, el residuo que nos dejará dentro del organismo, en lugar de darnos energía, nos la consumirá para poder digerirlo. La enfermedad es una falta de energía, y este déficit se expresa en forma de síntoma.

Insistimos en que los alimentos han de ser biológicos, que son asimilados por el organismo sin alterar las funciones metabólicas. Lo mejor es consumir los alimentos que están dentro de la zona de equilibrio energético:

- Verduras redondas: brócoli, col, calabaza…
- Verduras de raíz: cebolla, nabo, zanahoria, rábano, chirivía…
- Algas.
- Cereales integrales: maíz, quinoa, avena, cebada, arroz, mijo, trigo, trigo sarraceno…
- Semillas oleaginosas: de calabaza, girasol, sésamo…
- Proteínas vegetales: legumbres (garbanzos, azuki, lentejas…), seitán, tofu, tempeh.
- Pescado de agua dulce: carpa, lucio, barbo, boga,…
- Pescado de agua salada: mejor blanco y azul (bonito, atún, mero, rape, salmón, sardina, merluza). El marisco no es recomendable en la fibromialgia porque afecta al hígado.

Sería indicado dejar de comer:

- Proteínas animales.
- Chocolate, azúcar y refinados.
- Productos lácteos.
- Fritos.
- Alcohol.
- Marisco.
- Frutos secos.

Por lo comentado anteriormente, nosotros abordamos la fibromialgia y la fatiga crónica con un cambio drástico en los hábitos de alimentación, con suplementos nutricionales y con apoyo psicoemocional y de crecimiento personal. Todos aquellos pacientes que son capaces de seguir estas directrices encuentran una gran mejoría.

Testimonio de Mª Teresa

Le pedimos a Mª Teresa, de cuarenta y siete años de edad, si podía contestar a unas preguntas sobre cuál fue su experiencia y evolución en su caso de fibromialgia y fatiga crónica. Hemos creído interesante poder transcribir aquí esta experiencia tal como fue:

Mª Teresa, antes de nada, dinos, por favor, qué es lo que hizo que vinieras a consultarnos.
Cuando me diagnosticaron la enfermedad, busqué, sin encontrarlo, algún remedio para encontrarme mejor. A pesar de haber tomado muchos medicamentos, de haber recurrido a muchos tratamientos, de haber ido también a otro homeópata, nada funcionaba. Ya, desencantada de todo, una persona me comentó que con vuestra ayuda había notado muchísima mejoría. No estaba muy ilusionada ni muy esperanzada, pero vine a probar. ¡Y menuda sorpresa!

Desde 2003 estás diagnosticada de fibromialgia, ¿verdad?
Así es. De fibromialgia y de fatiga crónica.

Además, ¿cómo te encontrabas emocionalmente?
Hacía ya muchos años que tenía depresión y ansiedad, un estado emocional que no cesaba.

Cuando viniste, ¿cuál fue la primera impresión que te llevaste en esa primera visita, en el primer contacto con el centro y también con nosotros? ¿Te sorprendió? ¿Saliste ilusionada por el tratamiento, o por el contrario tenías dudas?

Salí con dudas, con muchas dudas, y nada esperanzada. Pero... quería probar. Eso sí, tenía muchas ganas de hacerlo porque mi enfermedad era una enfermedad ligada a muchas otras, y cada vez iba a peor. Además, cuando vine ya me habían diagnosticado el síndrome químico múltiple. Me acuerdo que el Dr. Forés me dijo: «Estás en caída libre». Y era verdad.

Te hicimos una medición bioenergética, donde descubrimos muchas intolerancias químicas, pero también a diversos alimentos. Fue entonces cuando te invitamos a cambiar tu alimentación.

Sí. Llevé a cabo un gran cambio en mi dieta, y lo tenía que hacer bien para poder comprobar los resultados. No me costó mucho, ya que tuve la suerte y tranquilidad de que ambos estuvisteis siempre a mi disposición para cualquier duda o problema. Así que puedo afirmar que gracias a vuestra ayuda lo pude hacer bien.

¿Qué modificaciones tuviste que llevar a cabo en tu alimentación? ¿Qué tuviste que dejar?

Dejé todo lo que eran carnes; carnes de todo tipo, para empezar. No las podía tomar porque mi cuerpo estaba muy intoxicado. Ni carnes, ni pescado... De hecho, nada de origen animal (huevos, embutido...). Ni tampoco la fruta cruda; tenía que estar cocida y consumirla lejos de las comidas. Recuerdo haberos comentado que era muy golosa, así que me explicasteis cómo comer entre horas y en forma de dulce. Me mostrasteis cómo cocinar los alimentos en forma de «pastel», así como a hacer compotas. Resolvisteis todas mis dudas en este sentido y me indicasteis cómo dar sabor, sobre todo, que era uno de mis problemillas en ese tema. De esta manera, claro, todo apetece mucho.

El hecho de hacer un cambio de alimentación, sin productos de origen animal ni crudos, ¿dificultó mucho tu adaptación a los nuevos sabores en la cocina?

No, para nada.

¿Cuánto tiempo transcurrió antes de que notaras una mejoría?

Un mes. Tras ese mes noté un cambio en verdad enorme. Cuando volví a la consulta me dije: «Esto sí que funciona». Ahora sí.

¿Te desaparecieron los dolores? ¿Cómo estabas psicológicamente?

Me encontraba mejor. Anímicamente había mejorado mucho; al caminar ya no sentía dolor y, sobre todo, menos cansancio, estaba más enérgica... No sé cómo explicarlo, me dan ganas de llorar porque estaba muy mal cuando vine... Ahora me doy cuenta de lo que era mi vida antes.

Aparte de la terapia médica, ¿piensas que la alimentación te ayudó a lograr este cambio?

Alimentos para la primavera

¡Recomendamos que impere el color verde, sobre todo en nuestros platos!

- **VERDURAS Y PLANTAS VERDES:**
De toda clase y variedad. Las verduras ligeramente amargas y picantes son excelentes depuradoras, desintoxicantes, limpiadoras, equilibradoras y ayudan al organismo a eliminar toxinas. **Acelga, acedera, alcachofa, ajo tierno, berros, borrajas, brécol, brócoli, bróquil, canónigos, cardo, cebolla tierna, cebolleta, cebollino, col verde, coliflor, chirivía, espárragos, espinacas, germinados, hinojo, hojas de diente de león, hojas de rabanitos, judías verdes, lechuga, lollo rosso, pepino, perejil, tomate raf... También nabos, rabanitos, remolacha, ortigas, rúcula...**

- Usar **HIERBAS AROMÁTICAS** frescas: **Artemisa, ajedrea, bardana, albahaca, estragón, clavo, melisa, romero, salvia, tomillo...**

- **CEREALES: Arroz de grano medio o largo (como el basmati), bulgur, cebada, cebada perlada, pastas integrales, quinoa, trigo y centeno en pan.**
Los cereales los podemos dejar en remojo unas horas antes de cocinarlos; la cebada al menos 12 horas.

- **PROTEÍNAS:** Conviene reducir la cantidad que consumimos diariamente. Mejor eliminar la proteína animal y consumir variedad de proteína vegetal, como las legumbres: **soja verde y blanca, guisantes, habas, lentejas y proteínas vegetales como tempeh.** Hay que limitar también el consumo de pescado o tomar este cocinado ligeramente, sobre todo blanco.

- **ALGAS:** Utilizarlas con regularidad y en todas sus variedades. Elegir especialmente: **wakame, dulse, nori, kombu, arame, lechuga de mar.**

- **FRUTAS:** Tienen la propiedad de enfriar y, como aún no estamos en verano, se digieren mejor si les aplicamos un poco de fuego, es decir, podemos prepararlas en compotas o al vapor, por ejemplo, y también podemos ponerles una pizca de sal (frutas maceradas) o/y cocinarlas con kuzu.

  Para la primavera es mejor elegir las frutas ácidas y blancas: kiwi, lima, uva verde o manzana verde, así como fresas, cerezas, nísperos, albaricoques...

- **ACEITES:** Hay que usarlos con moderación y procurando siempre que sean aceites de primera presión en frío. En esta estación conviene disminuir los alimentos fritos.

  Consumir también semillas de girasol, nueces tostadas...

- **ESTILOS DE COCCIÓN:** Han de predominar en nuestros platos el **salteado rápido o corto, el hervido y escaldado, el estofado corto con más verdura verde, germinados y pickles cortos.** El fuego en las cocciones ha de ser medio/alto.

- **SOPAS:** Más ligeras, con más cantidad de verduras y menos cereales, legumbres y condimentos salados.

- **SABOR:** Ácido/agrio. Es el que debería predominar o estar presente en cada comida, pues, físicamente, estimula la secreción y formación de bilis, lo que facilita la digestión.

  Los mejores productos ácidos son **los pickles** (o encurtidos, por ejemplo el conocido **chucrut**), **los limones biológicos, las ciruelas umeboshi, el vinagre de arroz, el zumo concentrado de manzana.**

Crema de cereales del desayuno

Recetas
de primavera

1. Crema de cereales del desayuno

(Receta básica)

Ingredientes para 4 personas

- 1 taza de cereal integral lavado (preferimos la mitad de arroz y la otra mitad de otro cereal según la estación del año)
- 8 tazas de agua (o también 6 de agua y 2 de leche vegetal)
- 1 rama de canela (en estaciones frías) o vainilla en rama (en estaciones calurosas)
- Sal o un trozo (5 cm) de alga kombu
- Ralladura de limón

Elaboración

1 Poner todos los ingredientes en una cazuela de fondo grueso y, cuando empiece a hervir, bajar el fuego al mínimo, poner una placa difusora y cocinar durante hora y media hasta obtener una consistencia cremosa.

2 Servir con semillas tostadas o frutos secos tostados.

Si se desea más dulce, se puede añadir leche vegetal de arroz o de quinoa si se es celíaco o intolerante al gluten, o también leche de avena, así como avellanas o nueces tostadas o incluso pasas u orejones.

Si el cereal empleado es avena o cebada, se ha de remojar durante 12 horas, pues tiene una cáscara muy dura.

Si tenemos problemas digestivos, se puede añadir una ciruela umeboshi desmenuzada.

Efecto

Es una manera estupenda de comenzar el día, pues nos aporta energía de muy buena calidad y estable, preparándonos para la actividad diaria.

Nota

Si tuviéramos cereal cocido que nos haya sobrado de alguna comida, podemos cocerlo con el resto de ingredientes durante 30-40 minutos.

Sopa de miso

2. Sopa de miso
(Primavera/verano)

Ingredientes para 4 personas

| 1 puerro cortado en rodajas finas
| 1 zanahoria en daditos
| 4-6 judías verdes en juliana o en cuadraditos
| La parte verde de 1 hoja de acelga en juliana fina
| 5 cm de alga wakame, remojada 10 minutos y cortada a trocitos
| 1 litro de agua mineral
| 1 cs de aceite de sésamo
| 1 cucharada rasa de shiro miso (no pasteurizado), o en el caso de celíacos, genmai miso o hatcho miso (*véase glosario*)
| Cebollino fresco picado o menta fresca picada

Elaboración

1 Hervir el agua y añadir las verduras; primero las zanahorias, luego las judías verdes y el puerro y a continuación las acelgas; junto con el alga, hervir todo medio tapado durante 10 minutos a fuego suave.

2 Poner el miso en un bol y diluirlo con un poco del mismo caldo. Añadirlo a la sopa y dejar cocer a fuego mínimo, sin que hierva, durante 1 minuto.

3 Servir tibia o fresquita con cebollino fresco picado o menta fresca picada.

Efecto

Esta sopa nos da energía, minerales y alcaliniza la sangre, activando la circulación y eliminando el cansancio. Potencia la digestión. Tiene importantes propiedades antirradiactivas y elimina metales pesados.

Nota

Es una sopa muy terapéutica que recomendamos tomar antes y después de las sesiones de quimioterapia o radioterapia, y cada día durante el tratamiento. Es muy eficaz para evitar o disminuir los efectos secundarios de estos tratamientos oncológicos. En este caso, se puede utilizar el mugi miso, que es más potente, sea la estación que sea.

3. Crema de puerros y manzanas

(Primavera / otoño)

Ingredientes para 6 personas

| 4 puerros limpios y cortados en rodajas finas
| 3 cebollas cortadas en juliana
| 2 manzanas peladas (una cortada a dados y otra rallada) en el momento de utilizar, para que no se oxiden
| 2 cs de aceite de sésamo
| Sal, pimienta blanca y nuez moscada
| 1 litro de agua mineral
| 1 taza de leche de arroz
| 1 limón
| Semillas de amapola

Elaboración

1 En una olla poner a sofreír muy lentamente el puerro y la cebolla con el aceite y un pellizco de sal, sin que coja color, hasta pochar, unos 15 minutos.

2 Añadir una manzana cortada a dados con el puerro y la cebolla.

3 Pasados 10 minutos, y cuando el conjunto tenga una consistencia blanda, cubrir las verduras con agua mineral y «leche vegetal».

4 Condimentar con nuez moscada, pimienta blanca y sal si hiciera falta.

5 Cocerlo todo a fuego suave durante 15 minutos.

6 Triturar con el brazo eléctrico o con el pasapuré y si se desea una crema más fina pasarla por el colador chino.

7 Pelar y rallar la segunda manzana y rociarla con zumo de limón para que no se oxide.

8 Servir la crema en una sopera o en tazones acompañada de la juliana de manzana y las semillas de amapola.

Efecto

Es una crema dulce, refrescante y depurativa, rica en fibra y pectina, que frenan los depósitos de colesterol en las arterias, y de muy fácil digestión. Favorece al hígado.

Nota

Podemos acompañar este plato con germinados de alfalfa, haciéndolo aún más rico en minerales.

4. Torta crujiente de cereales con queso de tofu y mermelada de zanahoria

(Primavera / otoño / invierno)

Ingredientes para 4 personas

| 4 galletas de cereales grandes, gruesas y crujientes
| 50 gr de almendras picadas en trozos grandes.

Mermelada de zanahoria: 3 cebollas cortadas muy finas en forma de media luna, 6 zanahorias cortadas finas en rodajas, aceite de oliva, sal marina, laurel

8 lonchas de **queso de tofu:** 1 bloque de tofu fresco, mugi miso (miso de cebada no pasteurizado)

Elaboración

1 Untar generosamente las galletas de cereales con la mermelada de zanahoria.

2 Colocar dos lonchas de queso de tofu encima.

3 Espolvorear con una parte de las almendras.

4 Servir frío o a temperatura ambiente.

Preparación de la mermelada de zanahoria

1 Saltear las cebollas con un poco de aceite de oliva y una pizca de sal marina sin tapa y a fuego bajo con difusor durante 20 minutos, hasta que estén bien blandas.

Torta crujiente de cereales con queso de tofu y mermelada de zanahoria

2 Añadir las zanahorias, el laurel y el agua hasta que casi cubra las verduras. Tapar y llevar a ebullición.

3 Reducir el fuego y cocer muy lentamente durante 35-40 minutos. Añadir más agua si fuera necesario.

4 Retirar el laurel y el exceso de líquido, si lo hubiera. Preparar un puré. La consistencia debe quedar muy espesa, tipo mermelada.

• La mermelada de zanahoria es la base para preparar una crema de zanahoria añadiendo más agua o para hacer un «gazpacho» añadiendo remolacha y los condimentos adecuados (*véase receta V1*).

Preparación del queso de tofu

1 Envolver el tofu fresco en un paño de algodón y secarlo. Cortarlo por la mitad a lo largo.

2 Cubrir completamente, por todas sus caras, con una capa ligera de mugi miso. Guardarlo en la nevera durante 24 horas (cuanto más tiempo esté, más salado quedará).

3 Al cabo del tiempo deseado, retirar el miso (no tirarlo, se puede utilizar para salsas y aliños). Lavar el tofu ligeramente con agua fría. Cortarlo en lonchas y servir.

Efecto

El queso de tofu es un plato nutritivo y sabroso. Es una proteína que se asimila completamente y no aporta toxinas. El miso lo hace más digestivo, además de promover la flora intestinal. Evitar este plato si se sigue una dieta con restricción en el consumo de sal.

La mermelada de zanahoria es ideal como dulce. Es relajante y aumenta la energía y la resistencia; además, es un potente alcalinizante. Puede acompañar a cualquier plato tanto en otoño como en invierno, que es cuando mejor están las zanahorias, aunque haya durante todo el año. Las podemos utilizar cuando nos apetezca, por sus propiedades, según nos encontremos.

Las almendras lubrican el pulmón, por lo que se aconseja su consumo a las personas que tienen que hablar mucho, y a los deportistas. Son un buen reconstituyente por su riqueza en ácidos grasos esenciales.

¡Los frutos secos, en general, no es aconsejable tomarlos solos!, pues son muy secos y pueden congestionar el hígado y la linfa, produciendo ansiedad y aumento del apetito; mejor siempre acompañarlos de algo dulce y húmedo, como este plato.

Nota
En lugar de almendras, también se puede añadir al plato semillas tostadas de calabaza o girasol.

5. Coca de mijo con maíz
(Primavera/verano)

Ingredientes para 4 personas
| 2 cebollas medianas cortadas a cuadraditos
| 1 zanahoria cortada a cuadritos
| 2 tomates rojos y maduros cortados en rodajas finas
| 3 cs de alcaparras
| 1 taza de granos de maíz cocidos

Coca de mijo con maíz

| 1 taza de mijo lavado
| 8 anchoas (opcional) u 8 tiras de tofu ahumado
| Sal marina
| Aceite de oliva
| Laurel
| Albahaca fresca

Elaboración
1 Saltear la cebolla con un poco de aceite de oliva y una pizca de sal marina durante 10 minutos. Añadir el mijo, la zanahoria, 3 tazas de agua y el laurel. Tapar y llevar a ebullición; en ese momento bajar el fuego a medio-bajo y cocer durante 25 minutos con difusor.

2 Colocar la masa de mijo cocido sobre una bandeja para hornear untada con un poco de aceite y dividir la masa en cuatro porciones. Estirar el mijo presionando con los dedos previamente humedecidos con agua fría y darle la forma de coca ovalada.

3 En un bol aliñar el maíz con dos cucharadas soperas de aceite de oliva, una pizca de sal marina y albahaca fresca recién cortada.

4 Distribuir las rodajas de tomate a lo largo de cada base de coca y por encima los granos de maíz marinados.

5 Hornear hasta que los bordes de la base de mijo se doren. A media cocción añadir unas pocas alcaparras y 2 anchoas o 2 tiras de tofu ahumado. Decorar con albahaca fresca.

Efecto

Es un plato potente energéticamente a la vez que nutritivo, que equilibra muy bien el exceso de ensaladas o de humedad.

El mijo es un estupendo tónico digestivo, es decir, da fuerza al intestino; aumenta no solo la energía del estómago, sino la de todo el cuerpo. Aprieta «las carnes» combatiendo el sobrepeso. Proporciona fortaleza mental, ayudando a mejorar la concentración. Es alcalinizante.

El mijo también sirve para tratar las cándidas y la diarrea –para lo cual hay que tostarlo antes de cocinarlo–; también lo recomendamos en la diabetes.

Notas de presentación

Podemos disponer el mijo en una fuente, a modo de base de pizza, y poner encima cualquier otra verdura de la temporada (incluso es excelente para aprovechar restos de verduras). Si no queremos dar tanta fuerza o calor podemos no hornearlo, y así también variar la cocción y presentación.

6. Salteado de quinoa y tofu con juliana de verduras y jengibre

(Primavera / verano)

Ingredientes para 4 personas

| 2 cebollas tiernas cortadas en juliana
| 2 zanahorias cortadas en juliana
| 8-10 judías verdes cortadas en juliana
| 1/2 pimiento rojo cortado en juliana fina
| 1/2 pimiento amarillo cortado en juliana fina
| 1/2 calabacín cortado en juliana
| 1 taza de quinoa = 180 g aprox.
| 1 paquete de tofu ahumado cortado en bastoncitos
| 3 cs de jengibre rallado o ralladura de limón
| 2 cs de semillas de girasol tostadas
| Aceite de oliva
| Azafrán o cúrcuma
| Laurel
| Sal marina
| Salsa de soja, pimienta molida
| Cebollino picado

Elaboración

1 Lavar bien la quinoa y colocarla en una cazuela junto con 2 tazas de agua con la cúrcuma diluida o azafrán al gusto y una pizca de sal marina. Tapar y llevar a ebullición; luego reducir el fuego al mínimo y cocer durante 20 minutos con difusor.

2 Saltear a fuego fuerte en un wok grande las cebollas con aceite de oliva durante 5 minutos con una pizca de sal. Añadir las zanahorias y las judías verdes, otra pizca de sal y saltear durante 3 minutos más. Seguidamente añadir los

Salteado de quinoa y tofu con juliana de verduras y jengibre

pimientos y el calabacín y otra pizca de sal. Seguir salteando otro par de minutos a fuego fuerte hasta que las verduras pierdan su rigidez cruda, pero que estén todavía crujientes.

3 Añadir el tofu ahumado y unas gotas de salsa de soja y el jengibre rallado y exprimido o la ralladura de limón.

4 Añadir a la quinoa y mezclar con cuidado para no romper el tofu y las verduras. Añadir las semillas de girasol.

5 Servir con cebollino fresco picado.

Efecto

Nos da energía, nos refresca y nos nutre al mismo tiempo, y es de fácil digestión.

La quinoa es un cereal energetizante. Fortalece todo el cuerpo. Es muy rica en lisina, un aminoácido del que carecen los demás cereales que, al combinarse con otro cereal o con legumbres, les da un aporte de proteínas de primera calidad, incluso mejor que las de la carne.

Minibrochetas frías de queso de tofu con tomates cherry, mazorquitas de maíz y achicoria fresca

Rica además en AGE (ácidos grasos esenciales) y calcio (tiene más que la leche), es una gran fuente de hierro, fósforo y vitaminas B y E.

Es excelente para deportistas o personas con desgaste crónico, pues nutre los músculos, los huesos y el cerebro. También es recomendable si la digestión es débil.

Notas de presentación

Se puede presentar mezclando el cereal con las verduras, pero también por separado, con unas semillas de girasol tostadas y cebollino fresco picado.

7. Minibrochetas frías de queso de tofu con tomates cherry, mazorquitas de maíz y achicoria fresca

(Primavera)

Ingredientes para 4 personas

| 16 de tomates cherry cortados por la mitad
| 16 minimazorcas de maíz
| 16 de ramitos de brécol morado o verde
| 50 g de hojas de achicoria frescas
| 1 cp de miso blanco
| 2 cs de aceite de oliva
| 1 cs de jugo concentrado de manzana
| Vinagre de umeboshi
| Pimienta molida
| 8 brochetas de madera cortas
| 170 g de **queso de tofu:** *véase receta P4*

Elaboración

1 Emulsionar en un cuenco el miso blanco con el aceite de oliva, el jugo concentrado de manzana y un poquito de agua. Condimentar con vinagre de umeboshi y una pizca de pimienta molida. Mezclar y guardar un poco de salsa para aliñar la achicoria fresca.

2 Poner a macerar en esta salsa, durante 30 minutos, las mazorcas de maíz, los ramitos de brécol morado y los tomates cherry. Cortar el queso de tofu en dados de 2 cm o según el tamaño de las verduras.

3 Montar las brochetas intercalando el queso de tofu, las minimazorcas, el brécol y los tomates cherry.

4 Acompañar con las hojas de achicoria frescas y limpias y un poco de salsa del macerado.

Efecto

El plato tiene un efecto refrescante y depurativo y al mismo tiempo muy nutritivo.

El maíz es un cereal refrescante, depurativo y ligero, pero no se digiere muy bien, por ello recomendamos tomarlo esporádicamente.

Las verduras nos aportan vitaminas y minerales y ayudan a tonificar el hígado.

La achicoria actúa sobre muchos órganos depurativos: hígado, riñones e intestino, aumentando la secreción de bilis. Contiene fibra no irritante para el aparato digestivo que favorece el tránsito. Es diurética y controla el colesterol. Remineraliza y tonifica. Contiene muchos antioxidantes naturales.

Al macerar, el aliño suaviza las verduras y ayuda a su digestión al estimular la función biliar del hígado y reforzar ligeramente la secreción de los jugos del estómago.

Notas de presentación

La presentación en brochetas es divertida y original y se puede utilizar este plato como aperitivo en un día de fiesta.

8. Revoltillo de tofu, gambas (opcional), espárragos y ajos tiernos

(Primavera)

Ingredientes para 4 personas

- 2 cebollas tiernas cortadas finas en forma de medias lunas
- 12 espárragos trigueros
- 4 ajos tiernos
- 1 bloque de tofu ahumado desmenuzado (en caso de no utilizar gambas)
- 1 bloque de tofu fresco
- 200 g de gambas peladas (opcional)
- Sal marina o salsa de soja
- Aceite de sésamo
- Cebollino crudo cortado fino

Elaboración

1 Hervir el tofu crudo o fresco con agua que lo cubra y una pizca de sal durante 10 minutos. Escurrir y dejar enfriar ligeramente. Desmenuzarlo con los dedos o un tenedor.

2 Escaldar los espárragos durante 1 minuto en agua hirviendo con una pizca de sal (podemos aprovechar el agua de cocer el tofu); escurrirlos y lavarlos con agua fría para que conserven el color; cortarlos en trozos de 2 cm aproximadamente.

3 Pelar los ajos tiernos y cortarlos en rodajas gruesas de 1 cm.

Revoltillo de tofu, gambas (opcional), espárragos y ajos tiernos

4 Saltear las cebollas con un poco de aceite de oliva y una pizca de sal marina durante 10 minutos sin tapa y a fuego medio-bajo.

5 Una vez las cebollas estén cocinadas, añadir los ajos tiernos y saltear durante 2 minutos.

6 Añadir los espárragos y saltearlos 2 minutos más.

7 Añadir seguidamente el tofu fresco cocido y desmenuzado y el tofu ahumado desmenuzado, tapar y seguir cociendo durante 5 minutos más.

8 Si se desea, añadir las gambas previamente salteadas con un poquito de aceite y un poco de salsa de soja y mezclar bien. Servir con cebollino picado.

Efecto

Es un plato nutritivo y de fácil digestión. Es refrescante, depurativo y adelgazante.

Los espárragos son muy desintoxicantes por su alto contenido en potasio, así

como bajos en sodio, lo que los hace muy diuréticos. No conviene tomar este plato si se padece de cistitis crónica o cálculos renales o biliares. En esos casos, sustituir por otra verdura, como el puerro o el calabacín, igualmente depurativos.

Las gambas refuerzan la zona sacro-lumbar y los riñones.

9. Albóndigas de seitán, menta y piñones tostados

(Primavera / otoño / invierno)

Ingredientes para 4 personas

| 1 zanahoria cruda rallada fina
| 1 cebolla cortada a cuadraditos y sofrita
| 1 bloque de seitán rallado o picado fino
| 1 cs de alga dulse remojada 5 minutos y picada
| 2 cs de piñones tostados y trinchados
| 3 cs de semillas de sésamo tostado (reservaremos 2 cs para para el relleno y 1 cs para decorar)
| 1 cc de comino
| 5 hojas de menta picadas para el relleno y 5 hojas enteras de menta para decorar
| 2 cs de perejil picado
| 3 cs de salsa de soja
| 6 cs de pan rallado si hace falta para formar las bolas
| Harina para rebozar las albóndigas
| Aceite para freír
| Chucrut (col fermentada)
| **Mantequilla de pimiento rojo:** 2 cebollas cortadas en forma de medias lunas, pimiento rojo escalibado, pelado y cortado

fino, 1 trocito de alga kombu, sal marina, aceite de oliva y laurel

Elaboración

1 Mezclar el seitán junto con todos los ingredientes restantes. Condimentar al gusto con la salsa de soja.

2 Moldear las albóndigas con las manos un poco humedecidas y apretando para que queden bien compactas; luego pasarlas por la harina.

3 Freírlas en aceite y escurrirlas sobre un papel absorbente.

4 Acompañar de hojas de menta y sésamo tostado por encima, chucrut y como salsa la mantequilla de pimiento. Servir bien calientes.

Preparación de la mantequilla de pimiento rojo

1 Saltear la cebolla en aceite con una pizca de sal durante 20 minutos, hasta que esté muy pochada y dulce. Añadir el pimiento rojo escalibado, el alga kombu y el laurel; cocer con tapa a fuego bajo con difusor durante 45 minutos.

2 Retirar el alga y el laurel. Triturar hasta obtener la consistencia deseada.

Efecto

Este plato aporta proteína de muy buena calidad. Es reconstituyente, lo que ayuda a reponer los tejidos tras el desgaste físico. Tonifica la sustancia básica del hígado, ayuda a la musculatura y refuerza la flexibilidad de los huesos. Las semillas de sésamo y los piñones enriquecen las albóndigas en ácidos grasos esenciales y triptófano, precursor de la melatonina y la serotonina, llamadas las «hormonas del bienestar».

Al estar fritas, tienen menor poder nutritivo, pero ayudan mucho a introducir las proteínas vegetales y gustan tanto a los niños como a los adultos. Son estupendas para días de fiesta o excursiones.

Para hacerlas más digestivas, aconsejamos acompañarlas de chucrut, que es col macerada con sal y fermentada; la col aporta enzimas, ácido láctico y fermentos que ayudan a la digestión de las grasas disminuyendo la pesadez digestiva y mental.

Notas de presentación

Acompañar de chucrut, como en este caso, o también de nabo rallado, rabanito rallado, berros o rúcula, que ayudarán a la digestión de las grasas.

También podemos pasar las albóndigas, una vez fritas, por un cuenco con semillas de sésamo tostadas, como si envolvieran a la albóndiga.

En invierno añadir otras hierbas aromáticas secas como tomillo, orégano...

10. Fricandó de seitán con setas

(Primavera/otoño)

Ingredientes para 4 personas

| 3 cebollas cortadas en forma de medias lunas
| 3 zanahorias cortadas en rodajas finas
| 2 tomates rallados (quitar piel y semillas) o remolacha cocida
| Setas variadas según la estación cortadas en láminas, o champiñones, o seta shiitake

Fricandó de seitán con setas

- 2 bloques de seitán (cortado en lonchas finas)
- Pan rallado
- Aceite para freír
- Aceite de oliva y sal marina
- Salsa de soja
- Pimienta negra
- **Picada:** 1 diente de ajo, un puñado de perejil, 10 almendras (tostadas y peladas)

Elaboración

1 En una cazuela ancha saltear la cebolla en un poco de aceite y una pizca de sal durante 20 minutos o hasta que esté pochada.

2 Añadir las zanahorias, el tomate o la remolacha y una pizca de sal marina. Cocer tapado, a fuego medio lento durante 15 minutos más y triturarlo hasta que nos quede una salsa espesa.

3 Rebozar las lonchas de seitán con el pan rallado. Freírlas en aceite caliente y reservarlas en un plato sobre papel absorbente.

4 Hacer la picada de ajo, perejil, almendras y agua. Reservar.

5 Saltear las setas en una sartén con un poco de aceite y unas gotas de salsa de soja, hasta que se haya evaporado el agua.

6 En la cazuela, añadir por capas el puré de tomate o de remolacha, las lonchas de seitán, la picada y las setas con un poco más de agua, si fuera necesario. Cocer tapado unos 15 minutos a fuego lento. Sazonar al gusto con pimienta negra.

Efecto

Es un plato reconstituyente, nutritivo, relajante y calmante. Las setas, en general, son muy depurativas; en especial la shiitake, que además es un potente regulador del sistema inmunitario y reduce el colesterol.

En caso de no ser la temporada o de padecer enfermedades articulares o inflamatorias, en cuyo caso no están aconsejadas las verduras solanáceas (tomate, pimiento, berenjen y patata), se puede sustituir la salsa con tomate por salsa de remolacha (*véase receta 03*).

- Las mejores setas para la primavera son las múrgulas, las carreretes o la perretxiko (Tricholoma georgii), pero seguro que en cada zona tenéis variedades diferentes e igualmente estupendas.
- La seta shiitake, junto a la maitake y la reishi, en los antiguos tratados chinos eran denominadas como «elixires de la vida».

Las setas se tienen que cocinar largo tiempo con sal o salsa de soja.

11. Rollitos de col rellenos de tofu, piñones y hierbas frescas

(Primavera / otoño / invierno)

Ingredientes para 4 personas

- 12 hojas de col medianas (8 enteras para envolver y 4 cortadas en juliana)
- 1-2 paquetes de tofu fresco a las finas hierbas o tofu japonés
- 40 g de piñones

Espagueti de mar con nabos daikon y salsa verde

Verano

Comienza el 21 de junio. Es la estación de crecimiento
y maduración de la naturaleza.

El verano es una de las mejores estaciones del año. Las vacaciones suponen un descanso en el trabajo diario, con todas las obligaciones que comporta. Los días se alargan y hay mucha más luz solar que actúa sobre ciertas sustancias de nuestro cuerpo que nos hacen sentir muy bien. Empezamos con las salidas a la playa, los niños terminan la escuela y muchos de ellos van a sustituir los deberes y los exámenes por juegos veraniegos y colonias.

El verano es una estación cálida, y con ella, modificaremos los hábitos en nuestra nutrición. Cambiaremos los alimentos más cocinados por otros más frescos en su elaboración, como podréis comprobar en las recetas que os proponemos.

Los problemas alérgicos primaverales empiezan a remitir, los dolores articulares mejoran con los baños de sol y los problemas psicoemocionales también suelen mejorar en esta estación. Pero con el calor comienzan los problemas de circulación, sobre todo en las piernas. Aquellas personas que padecen insuficiencia venosa, y que durante el año están más o menos bien, en esta época notan que sus piernas se empiezan a edematizar más de lo normal y se encuentran con unas extremidades pesadas y doloridas, con picor, calambres y alteración del color. Algunas de ellas presentan varices importantes y otras, aunque aparentemente no tienen estas venas varicosas, internamente sí sufren esta alteración. Quienes padezcan esta enfermedad vascular deberían acudir antes del verano a la consulta y empezar el tratamiento.

La falta de ejercicio y el estar sentados durante muchas horas con las piernas cruzadas favorecen la aparición de esta insuficiencia venosa. Si no cuidamos adecuadamente las varices, estas pueden empeorar hasta el extremo de desembocar en problemas más serios como úlceras, tromboflebitis, embolismo pulmonar e infarto de miocardio.

Las causas de las venas varicosas más importantes son: genética, estreñimiento, dieta pobre en fibra, obesidad, pérdida del tono muscular de la vena, que se atrofia al avanzar la edad, falta de ejercicio o sedentarismo, consumo de tabaco y embarazo, por el aumento de la presión del niño sobre las venas de retorno. También contribuyen a su aparición una deficiencia en vitaminas A, E y C, en ácidos grasos poliinsaturados, así como cualquier disfunción del hígado, sea leve o severa.

ALIMENTOS Y SISTEMA CIRCULATORIO

El consumo de alimentos ricos en fibra, alimentos no refinados, así como una dieta rica en vegetales, frutas, legumbres y granos integrales, produce un aumento del peristaltismo intestinal y muchos de los componentes de la fibra atraen el agua del medio intestinal formando una masa gelatinosa que mantiene las heces blandas, facilitando su evacuación, evitamos así el estreñimiento y también la presión que supondría sobre el sistema venoso de las piernas. Este tipo de dieta es básica para la prevención de las varices.

Los alimentos que refuerzan el sistema circulatorio son:

- El uso diario de **ALGAS**, de **PROTEÍNA VEGETAL** y de **CONDIMENTOS SALADOS** de buena calidad, como el miso y la ciruela umeboshi.
- Tomar **CEREAL INTEGRAL** a diario, como arroz integral, quinoa, amaranto, avena en grano...
- Las **VERDURAS DE HOJA VERDE**, frescas y biológicas, y verduras **DEPURATIVAS** como el nabo, el rábano, el champiñón, los germinados de alfalfa, la remolacha, el puerro.
- Tomar **ACEITE VEGETAL** de buena calidad y de primera presión en frío. Cuando hay problemas circulatorios, los mejores son los aceites ricos en ácidos grasos esenciales omega 3, como el de lino, soja o germen de trigo, de los que aconsejamos tomar 1-2 cucharadas al día. También el aceite de sésamo tostado (2 gotitas en las ensaladas o en los aliños), semillas y frutos secos tostados.
- Tomar **PESCADO**, preferiblemente no criado en piscifactorías, y cocinado al vapor, y algo menos de marisco.

Es importante evitar el sedentarismo y con él la obesidad, y hacer ejercicio, especialmente: andar, montar en bicicleta o correr. Practicar todo aquello que aumente la musculatura de nuestras piernas. Evitar estar demasiadas horas de pie o, si no fuera posible, usar medias elásticas. Elevar las piernas cuando estemos sentados o tumbados y ahora, en verano, no exponer las piernas directamente al sol, pero sí andar por la orilla del mar dejando que el agua nos cubra hasta las rodillas.

La hidroterapia del frío-calor es muy efectiva. Consiste en duchas en las piernas con agua bien caliente durante tres minutos, pasando directamente al agua fría durante otros dos minutos. Esto se repite tres veces terminando siempre con agua fría. Una vez finalizada la ducha, se hace un masaje en ambas piernas con cremas de caléndula o gel de aloe. Es mejor realizarlo al final del día.

No hemos de olvidar que las hemorroides son varices de las venas del ano o del recto y que su tratamiento es prácticamente igual al ya mencionado. Tan solo cabe señalar que en el tratamiento de las hemorroides el uso de vid roja en fitoterapia es particularmente útil; y que especialmente en verano debemos evitar los alimentos picantes, que las agravan.

TRASTORNOS DIGESTIVOS

Otro de los problemas habituales en nuestra consulta son los trastornos digestivos. Personas que tienen problemas de gases, digestiones que no se terminan nunca, reflujo de comida. Generalmente, en verano, muchas personas empiezan a comer sin medida fruta, ensaladas, bebidas frías y gaseosas, helados..., al tiempo que aún siguen con los hábitos de una alimentación aún más caliente. El cuerpo reacciona como si de un choque de trenes se tratara, y es entonces cuando empiezan esos trastornos.

Cuando tenemos estos problemas digestivos hay que disminuir:

- **El exceso de crudos** (en contra de lo que muchos opinan, la ensalada cuesta mucho de digerir y no es algo ligero que se metaboliza bien, además de que nos enfría mucho).
- **Las solanáceas** (tomate, patata, pimiento, berenjena), fruta, pan refinado, azúcar, carne, embutidos, especias fuertes, alcohol, café.
- **No beber durante las comidas:** en su lugar hay que masticar muchísimo más. Con los horarios tan intensos, el estrés y el poco tiempo que algunas personas tienen para comer, se «traga» en lugar de masticar. Recordad que la digestión empieza en la boca, con la saliva, así pues, hay que masticar hasta convertir los alimentos en papilla; de esta manera los envolvemos bien de enzimas y se digieren mejor. Además, al estar todo más triturado, permite también a los jugos gástricos realizar mejor su función.
- **Evitar ciertas combinaciones de alimentos:**
  −Cereal y fruta.
  −Cereal y endulzantes.
  −Legumbres y fruta.
  −Tofu, tempeh o seitán y fruta.
  −Fruta antes o después de la comida.
  −Legumbres mal cocinadas.

Y hemos de aumentar el consumo de cereales bien cocidos (tostarlos antes de cocinar). Y, muy importante, os recordamos, de nuevo, ¡¡¡masticar bien!!!

En estas situaciones, hay que evitar también el postre, sea de la índole que sea. Sería interesante plantearnos comer poco pero de forma más frecuente en lugar de tres veces al día, de manera más copiosa. Todos estos consejos son básicos para lograr una buena digestión y, con ella, una buena absorción de los nutrientes.

CAMBIAR NUESTROS HÁBITOS

Como podéis observar, una vez más, el cambio en nuestros hábitos de alimentación es fundamental para resolver los problemas digestivos.

Vino a consultarnos Domingo, un hombre de cuarenta y siete años, afable y de buen carácter, quien desde hacía varios años padecía trastornos digestivos que le ocasionaban malas digestiones, flatulencias y terminaba sangrando por las heces en función de lo que comía y de los nervios que padecía por su trabajo. Además, tenía el ácido úrico y el colesterol muy por encima del límite deseado. A pesar de haberle hecho muchas y distintas pruebas médicas, no le habían encontrado nada que pudiera justificar sus problemas de sangrado y su mala digestión. Nos comentaba Domingo

que todos los médicos, ante la falta de pruebas concluyentes, lo achacaban todo a sus nervios y que, a pesar de seguir durante un tiempo los tratamientos que le habían indicado, él no mejoraba en absoluto.

Con la técnica de Biorresonancia Mora, le hicimos un Test de Intolerancia Alimenticia para determinar qué alimentos le perjudicaban a él en concreto y le recomendamos eliminarlos durante un tiempo de su alimentación. El resultado fue espectacular, porque en pocos meses dejó de sangrar y sus digestiones se normalizaron; además se redujeron sus niveles de colesterol y de ácido úrico.

A día de hoy, Domingo, con sesenta y cinco años, ya está jubilado y se encuentra perfectamente, si come de una forma saludable como ha aprendido en este tiempo. Bien es cierto que, durante estos dieciocho años que nos conocemos, ha ido teniendo alguna recaída, pues por su trabajo tenía que comer cada día fuera de casa, lo que de forma esporádica le ocasionaba alguna crisis, pero ya han pasado unos cuantos años en los que no ha padecido ningún problema grave de salud, y ahora, estando jubilado, junto con su mujer, disfrutan cocinando todo lo que han aprendido.

En la misma época nos vino a visitar Matilde, esposa de Domingo; tenía cuarenta y cuatro años cuando la conocimos por primera vez y padecía desde hacía tiempo, y durante todo el año, resfriados repetitivos. Por las mañanas siempre tenía tos y se le congestionaba el pecho con mucha facilidad.

Matilde quería hacer una buena prevención para intentar llegar a la jubilación en buen estado de salud. El tratamiento con Matilde fue fácil, ya que es una mujer muy disciplinada: hace lo que le dices y no se salta ni una sola coma del tratamiento. Pronto empezó a mejorar. Dejó de tener tos por las mañanas, las mucosidades empezaron a remitir con el cambio de alimentación y dejó de tener el pecho congestionado. Durante estos años ha ido teniendo algún resfriado que otro, pero los hemos ido superando fácilmente con tratamiento homeopático. Actualmente Matilde ya está jubilada, se encuentra muy bien y con una gran calidad de vida.

Con el paso de los años, vino Daniel, hijo de Matilde y Domingo, porque tenía dermatitis seborreica. Hemos podido constatar que muchos pacientes con problemas de piel, esconden a veces problemas emocionales o de carácter. Por este motivo, aconsejamos a Daniel realizar la terapia de estimulación neurosensorial con la técnica del Dr. Tomatis, que nos ayuda, tras la regulación neurológica, entre otras cosas, a mejorar como personas, y también nuestro carácter; al fin y al cabo, se trata de una terapia de crecimiento personal. Además, Daniel cambió algunos hábitos de alimentación y siguió un tratamiento homeopático, pues, según la medicina china, los problemas en la piel también nos indican que el hígado y los riñones no pueden depurar adecuadamente las toxinas de la sangre excretándolas por la piel.

Por ello la alimentación es tan importante. Cuando estos problemas en la piel aparecen hay que ELIMINAR el exceso de alimentos fritos, las grasas saturadas, los alimentos procesados, los envasados, los congelados, las comidas preparadas, las carnes, los embutidos, los huevos, los lácteos en general, los azúcares, la pastelería, las bebidas azucaradas y con gas… justo lo

que la «ALIMENTACIÓN MODERNA» nos aporta y que a casi todos los adolescentes, que tantos problemas padecen en la piel, les encanta.

Y antes de terminar el apartado dedicado a estos casos testimoniales, no queremos olvidarnos de la madre de Matilde y suegra de Domingo, quien también se llamaba Matilde. Una mujer siempre alegre, entrañable y encantadora que vino en el año 1994 a consultarnos para que la ayudáramos con su artrosis, así como con sus problemas respiratorios, principalmente. Era una mujer que se hacía querer por todos nosotros, desde la recepcionista, pasando por las enfermeras y, por supuesto, por nosotros dos. Hemos tenido el placer de poder tratar a tres generaciones de una misma familia y las tres cambiaron sus hábitos de alimentación y mejoraron sus problemas de salud. Si queremos llevar a cabo un cambio de verdad, se puede lograr. Querer es poder; ellos han podido y vosotros también podréis si realmente lo deseáis. Les hemos pedido que os contaran su experiencia y aceptaron. He aquí su testimonio.

Testimonio de Domingo

Yo soy Domingo; empecé a visitarme en la consulta de los doctores Forés-Pérez en 1994, tras haberme pasado un par de años

Alimentos para el verano

Nuestra alimentación en las estaciones calurosas debería ser más LIGERA, COLORISTA, de sabores REFRESCANTES y texturas CRUJIENTES.

Con el calor excesivo, nuestro cuerpo suda más, disminuyendo así de forma importante la cantidad de sales minerales, lo que nos hará perder la alcalinidad que nuestra sangre necesita para el buen funcionamiento del organismo; por ello es importante seguir utilizando condimentos salados al cocinar (sal, salsa de soja, umeboshi, miso).

- **VERDURAS:** De toda clase y variedad, incrementando las de **hoja verde y ensaladas variadas**. Albahaca, berenjena, brócoli, calabacín, cebolla tierna, cogollos de Tudela, col blanca, champiñones, diente de león, endivia, hinojo, judías verdes, lechuga, pepino, pimiento verde, rúcula, tomate...

- **PROTEÍNAS:** Preferentemente VEGETALES, como el **tofu**; LEGUMBRES: **Lenteja roja, garbanzos** –que podemos preparar en ensaladas o patés–, y el PESCADO, como **pulpo, calamar, sepia...**, cocinado de forma ligera.

- **CEREALES: Arroz de grano largo o Basmati, cebada, quinoa, maíz, bulgur, cuscús, polenta, pasta integral.** Los podemos dejar en remojo toda la noche antes de hervirlos con un poco más de agua de la habitual y en lugar de sal añadiremos alga kombu o un trocito de ciruela umeboshi.

- **ALGAS:** Es importante incrementar el consumo de algas por su efecto remineralizante; usaremos las más ligeras, como **wakame, nori, dulse, lechuga de mar, agar-agar, kombu...**

- **FRUTAS Y ALIMENTOS ROJOS:**
  Albaricoques, arándanos, cerezas, ciruelas, fresas, frambuesas, grosellas, higos, pimientos rojos, manzanas rojas, melón, melocotón, moras, nectarinas, sandía, paraguayo, pera blanquilla, tomates, uva ... Las frutas deben ser de cultivo biológico, ya que en su piel se concentran pesticidas, insecticidas y abonos químicos.

- **TIPOS DE COCCIÓN: Salteado muy rápido** (3 minutos) a fuego fuerte con agua o aceite, **escaldado, hervidos, vapor, plancha... y sin fuego: macerado, prensado, germinados, pickles cortos.**

- **EL SABOR** predominante es el **AMARGO**. Lo encontramos en las hortalizas amargas y las plantas de hoja verde: **escarola, endivia, diente de león, semillas tostadas...**

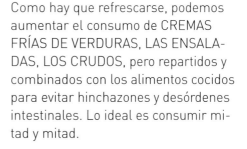

Para equilibrar su efecto podemos prepararlas en ensalada usando varias frutas maceradas con una pizca de sal marina y melaza, mezclándolas bien y dejándolas macerar durante media hora; también podemos tomarlas en forma de licuados o zumos.

Otra alternativa muy refrescante es preparar gelatina de frutas con alga agar-agar, tipo jalea, mousse o sorbetes. También podemos hacer batidos con leche de arroz o de almendras.

Como hay que refrescarse, podemos aumentar el consumo de CREMAS FRÍAS DE VERDURAS, LAS ENSALADAS, LOS CRUDOS, pero repartidos y combinados con los alimentos cocidos para evitar hinchazones y desórdenes intestinales. Lo ideal es consumir mitad y mitad.

Otras recomendaciones:

- AUMENTAR LA CANTIDAD DE AGUA al cocinar y la intensidad del fuego y disminuir el tiempo de cocción.
- INCREMENTAR LOS COLORES INTENSOS Y LOS CONTRASTES.
- AUMENTAR EL CONSUMO DE ALIMENTOS DE TEXTURA CRUJIENTE.
- POTENCIAR EL SABOR AMARGO Y PICANTE y un poquito EL SALADO.

Otra recomendación que damos a nuestros pacientes en verano es la ingesta adecuada de agua. Hay que evitar la deshidratación silenciosa que les ocurre a muchas personas que no beben apenas agua, bien porque no están acostumbrados a beber regularmente, bien porque practican mucho ejercicio y no beben lo que deberían. Una pérdida de hidratación hará que la orina esté más cargada de sustancias y al organismo le costará mucho más eliminar, y con ello se puede favorecer la formación de piedras en el riñón (cálculos renales).

EL AGUA hace de vehículo y transporte de todos los productos que en ella se encuentran: nutrientes y residuos.

- Todos los órganos del cuerpo necesitan del agua para su buen funcionamiento, pues es en el agua donde tienen lugar todos los intercambios bioquímicos y nutricionales.
- El agua es más importante para la vida que el alimento sólido; de hecho, podemos vivir varias semanas sin comer, pero solo unos días sin agua.
- Es un componente esencial de la sangre, la linfa, las secreciones corporales (líquido extracelular) y las células del cuerpo (líquido intracelular). Corresponde al 60 % del peso del hombre y el 54 % del de la mujer.
- Conviene ingerir de 4-6 tazas (de litro a litro y medio) de agua o de otros líquidos al día –como infusiones, sopas o caldos– para garantizar el correcto desarrollo de las funciones orgánicas. Son muchos los alimentos con un elevado contenido hídrico, con lo cual las necesidades de agua disminuyen.

- Un indicador del agua que necesitamos es la «sed», aunque una persona que siga una alimentación rica en cereales, legumbres, verduras, frutas y caldos, así como pobre en alimento animal y con poca sal o condimentos salados, tendrá menos sed o sentirá una menor necesidad de tomar agua.
- Hay un dicho popular que dice que hay que beber 2 litros de agua o incluso más, pero es importante saber que un exceso de agua puede debilitar nuestros riñones. Vivimos en un momento en el que el consumo de producto animal es elevado, los alimentos están muy condimentados, muy salados... Esto, de por sí, hace trabajar mucho al riñón debilitándolo; y si aumentamos la cantidad de líquido ingerida para compensar, debilitamos aún más nuestros riñones. Es muy frecuente ver esta disfunción en nuestros pacientes.
- Como en los riñones, además, según la medicina tradicional china, es donde se encuentra nuestra energía vital, si estos están debilitados, nuestra energía vital también lo estará, por lo que es muy importante mantenerlos fuertes y saludables; así pues, lo que es de sentido común es disminuir el consumo de alimentos salados en lugar de aumentar el exceso de líquido.
- Hay ocasiones en que necesitamos agua pero no sentimos sed. Esto ocurre cuando tenemos frío interno, o en caso de obesidad, enfermedades reumáticas, alteraciones digestivas, intestinales, respiratorias o si hay alergias.
- Por ello en verano es recomendable aumentar el consumo de verduras y alimentos de origen vegetal y disminuir la ingestión de los de origen animal, además, lógicamente, de asegurarnos un buen aporte de líquidos.

Gazpacho «a nuestra manera»

Recetas
de verano

1. Gazpacho
«a nuestra manera»

Ingredientes para 4-6 personas

| 2 cebollas cortadas en forma de medias lunas finas
| 6 zanahorias cortadas en rodajas finas
| 1-2 remolachas cocidas cortadas en rodajas finas
| 1 ajo picado fino
| 2 hojas de laurel
| 2-3 cs de vinagre de umeboshi
| 2-3 cs de jugo concentrado de manzana
| Perejil crudo
| Aceite y sal

Elaboración

1 Saltear las cebollas con un poco de aceite y una pizca de sal, sin tapa y a fuego medio-bajo durante 15-20 minutos, hasta que estén bien pochadas.

2 Añadir las zanahorias, el laurel, una pizca de sal y agua de forma que cubra las verduras. Tapar y cocer a fuego medio durante 15 minutos o hasta que la zanahoria esté cocida.

3 Retirar el laurel y preparar un puré; añadir poco a poco la remolacha hasta lograr el color rojo deseado, el ajo picado crudo, el vinagre de umeboshi y el jugo concentrado de manzana.

- 1 hoja de laurel
- 1 cp de miso blanco
- Salsa de soja
- Pimentón, azafrán, pimienta
- Albahaca fresca
- Semillas de calabaza o de girasol tostadas

Elaboración

1 Saltear en una olla con 2 cs de agua todas las verduras hasta que pierdan su color crudo.

2 Condimentar con el pimentón, el laurel, el diente de ajo, el azafrán y una pizca de sal.

3 Cubrir con agua hasta que supere en dos dedos el nivel de las verduras.

4 Cocer las verduras durante 10 minutos.

5 Espolvorear la quinoa sobre el cocido y llevar a ebullición; bajar el fuego al mínimo, tapar y cocer durante 25 minutos.

6 Cuando falten 3 minutos, añadir el miso diluido con un poco de caldo.

7 Añadir más agua si fuese necesario. Ha de tener una consistencia cremosa y la

Ensalada de quinoa al curry, con champiñones, brotes de ensalada y semillas

consistencia de las verduras debe haber fundido.

8 Servir en tazones con unas gotas de salsa de soja, las semillas de calabaza o de girasol y albahaca fresca picada.

Efecto

Plato nutritivo, pero ligero y depurativo.

5. Ensalada de quinoa al curry, con champiñones, brotes de ensalada y semillas

(Verano / primavera / invierno)

Ingredientes para 4-6 personas

- 200 g de champiñones cortados en láminas
- 1 manojo de rabanitos cortados en rodajas finas
- 1 taza de germinados de soja
- Mezcla de hojas de ensalada variada (endivia, lechuga, cogollos, hoja de roble, canónigos...)
- 1 limón
- 1 taza de quinoa
- 1/2 taza de maíz cocido
- 1 cs rasa de curry
- 2 cs de semillas de girasol ligeramente tostadas
- 1 cs de semillas de sésamo ligeramente tostadas
- Perejil crudo cortado fino
- **Aliño:** 1-2 cucharadas de miso blanco, 1 cucharadita pequeña de aceite de sésamo tostado, 1 cucharadita pequeña de mostaza, 1 cucharada de jugo concentrado de manzana, 1 cucharada de agua

Elaboración

1 Lavar la quinoa varias veces con agua fría. Escurrirla bien y colocarla en una cazuela con 2 tazas de agua, el maíz, el curry y una pizca de sal marina. Tapar y hervir, bajar el fuego al mínimo y cocer durante 15 minutos. Colocarla en una ensaladera y dejarla enfriar.

2 Colocar en los platos o en la ensaladera una corona de «mezclum» de ensalada.

3 Cortar los champiñones en láminas y rociarlos con jugo de limón.

4 Añadir a la quinoa los champiñones, los brotes de soja, los rabanitos y el maíz. Rociar con unas cucharadas de aliño.

5 Colocar la ensalada de quinoa en el centro de la corona del «mezclum» de ensaladas.

6 Decorar con las semillas y el perejil picado.

7 Acompañar con el aliño restante y servir por separado.

Efecto

Da energía, refresca y nutre. Es de fácil digestión.

6. Tomates rellenos de meloso de cebada

(Verano)

Ingredientes para 4-6 personas

| 4-6 tomates tipo Montserrat
| 1 cebolla cortada a cuadraditos pequeños
| 1 zanahoria cortada a cuadraditos pequeños
| 1 taza de judías verdes cortadas en juliana

Tomates rellenos de meloso de cebada

| 1 taza de cebada remojada toda la noche en 2 tazas de agua
| 1 taza de maíz hervido
| 1 taza de guisantes hervidos
| 2 cs de láminas de almendra ligeramente tostadas
| 1 tira de alga wakame (5 cm) remojada 3-4 minutos y cortada fina
| 1 cc de miso blanco
| Cebollino cortado fino
| Sal marina
| **Mayonesa de tofu / tofunesa:** *véase receta P12*

Elaboración

1 Saltear la zanahoria, la cebolla y los guisantes con un poco de aceite en una olla (donde luego herviremos la cebada).

2 Añadir la cebada escurrida con tres tazas de agua y una pizca de sal marina y cocer durante 50 minutos a fuego lento con difusor (después de que haya empezado a hervir bajamos el fuego y tapamos).

Calabacines rellenos de boloñesa de seitán con rúcula y germinados

3 Escaldar los tomates en otra olla con agua hirviendo y una pizca de sal durante 15 segundos. Escurrir bien, dejar enfriar, pelarlos y vaciarlos.

4 Mezclar bien la cebada cocida con el miso diluido en un poco de agua, el alga wakame, una parte de cebollino y un poco de la mayonesa de tofu o tofunesa.

5 Rellenar los tomates con este preparado.

6 Cubrir con el resto de la mayonesa de tofu y las láminas de almendra tostadas y el cebollino. Servir a temperatura ambiente.

Efecto

Es un plato refrescante, depura el hígado y nos proporciona energía al mismo tiempo que nos relaja.

Notas de presentación

Este es un plato que se puede dejar preparado con antelación y tomar fresquito.

Lo acompañaremos con judías verdes en juliana hervidas durante 3 minutos o con judías verdes redondas hervidas durante 5 minutos enteras y presentadas en hatillos.

También podemos tomar los tomates crudos, sin escaldar.

7. Calabacines rellenos de boloñesa de seitán con rúcula y germinados

(Verano/otoño)

Ingredientes para 4 personas

| 2 calabacines medianos
| Rúcula
| Germinados de alfalfa u otros
| Almendra molida
| Aceite
| Salsa de soja
| 8 cs de **salsa boloñesa de seitán:**
1 bloque de seitán (triturado o rallado), 2 zanahorias (cortadas en cuadraditos o ralladas), 1-2 cebollas (a cuadraditos o ralladas), 2 dientes de ajo o la cantidad equivalente de jengibre fresco (picado), salsa de soja, orégano, almendra y perejil fresco picado. Condimentos: 2 cucharadas de vinagre de umeboshi y 2 cucharadas de jugo concentrado de manzana

Elaboración

1 Lavar y cortar cada calabacín en 4 cilindros iguales.

2 Vaciar cada uno de los trozos con un vaciador hasta la mitad de su volumen y reservar la pulpa.

3 Poner a cocer los trozos al vapor durante 2 minutos con una pizca de sal.

4 Picar y saltear la pulpa del calabacín en una sartén con unas gotas de aceite de oliva.

5 Añadir la boloñesa de seitán y cocer el conjunto 2 minutos más.

6 Rectificar con salsa de soja y pimienta recién molida.

7 Rellenar los cilindros de calabacín.

8 Espolvorear por encima la almendra molida y gratinar.

9 Servir acompañados de rúcula y germinados al gusto.

Preparación de la salsa boloñesa de seitán

1 Saltear las cebollas con un poquito de aceite de oliva o de sésamo y una pizca

de sal marina, hasta que empiecen a dorarse. Añadir los ajos o la cantidad equivalente de jengibre y saltear 1-2 minutos. Saltear sin tapa.

2 Añadir el seitán, la zanahoria, un poco de salsa de soja, laurel y orégano. Tapar y dejar a fuego medio-bajo durante 20-25 minutos.

3 Retirar el laurel, añadir los condimentos.

4 Añadir una picada de almendras y perejil y servir caliente.

Efecto

Es una salsa muy nutritiva, con efecto antioxidante y antienvejecimiento. Este plato aumenta nuestra energía, además de ser un buen aporte proteico.

Aperitivo de tofu marinado con jugo de remolacha y tofunesa de encurtidos

8. Aperitivo de tofu marinado con jugo de remolacha y tofunesa de encurtidos

(Verano)

Ingredientes para 4 personas

| 1 bloque de tofu fresco hervido con sal durante 10 minutos
| 1 remolacha licuada
| 1 cs de salsa de soja
| 2 rodajas de jengibre
| 1 taza de **tofunesa de encurtidos:** 1 bloque de tofu fresco, una pizca de sal, 2 cs de aceite, 1 cs de miso blanco, 1 cs de encurtidos picados, 1 cp de jugo concentrado de manzana, 1 cs de vinagre de arroz

Elaboración

1 Macerar el jengibre con el jugo de remolacha y la salsa de soja o sal, durante dos horas como mínimo.

2 Colar la maceración.

3 Cortar en dados de 1 centímetro el bloque de tofu y marinarlos con el jugo de remolacha durante 3 horas.

4 Colar los dados y servirlos como aperitivos.

5 Acompañar con salsa tofunesa de encurtidos.

Preparación de la salsa tofunesa de encurtidos

1 Hervir el tofu durante 10 minutos en agua que tan solo lo cubra con una pizca de sal.

2 Escurrir el tofu y triturarlo con los demás ingredientes y un poco de agua de cocción, hasta que tenga una consistencia más bien espesa.

Efecto

El tofu es una proteína que se asimila completamente y no aporta toxinas. Es un plato nutritivo, de fácil digestión y que además no engorda. Refrescante, depurativo y adelgazante.

Notas de presentación

Se puede servir en formato de pincho o sobre una hoja de endivia.

9. Mil hojas de seitán y verduras a la plancha

(Verano / primavera)

Ingredientes para 4 personas

| 1/2 calabacín cortado en lonchas finas
| 1 zanahoria cortada en lonchas finas
| 1 berenjena blanca cortada en lonchas finas y con un poco de sal
| 1 cebolla cortada en rodajas finas
| 1 paquete de seitán cortado en lonchas finas
| Aceite de oliva
| Salsa de soja
| 2 endivias

Elaboración

1 Calentar una sartén con unas gotas de aceite de oliva. Añadir las lonchas de seitán y hacer a la plancha unos minutos por los dos lados.

2 Aliñar las verduras con aceite y sal.

3 Poner las verduras en la misma sartén a fuego fuerte, y hacerlas por ambos lados.

Hinojos gratinados con salsa blanca de coliflor

4 Intercalar, una sobre otra, las lonchas de verduras y las de seitán. Servir con ensalada prensada de endivias; para ello, cortamos las endivias en juliana, añadimos sal y las «estrujamos» con los dedos para que vayan perdiendo la dureza o bien las ponemos en una prensadora durante 1 hora o con un peso encima.

Efecto

El seitán es una proteína de muy buena calidad, que nos ayuda en las funciones cerebrales. Ayuda a reponer los tejidos tras el desgaste físico y, con las verduras, es más nutritivo.

Notas de presentación

Rellenamos un aro para ver mejor las capas y acompañarlas con salsa de remolacha o de pimientos rojos.

10. Hinojos gratinados con salsa blanca de coliflor

(Verano)

Ingredientes para 4 personas
| 2 bulbos de hinojo grandes
| 50 g de piñones tostados ligeramente
| 2 tazas de **salsa blanca de coliflor:**
2 cebollas, 1/2 coliflor pequeña, aceite de oliva y sal marina, nuez moscada al gusto, 1 cs de miso blanco, pimienta blanca, leche de arroz según consistencia, polvo de almendras para gratinar

Elaboración
1 Cortar en rodajas longitudinales los hinojos.

2 Enjuagarlos y ponerlos a hervir en una cazuela con agua hirviendo y un poco de sal durante 10 minutos, aproximadamente, en función de su grosor.

3 Escurrir y refrescar con agua fría los hinojos.

4 Acomodarlos hervidos en una fuente para el horno.

5 Cubrir con la salsa blanca y añadir los piñones ligeramente tostados por encima y si se quiere almendra molida.

6 Hornear cinco minutos y servir en la misma fuente.

Preparación de la salsa blanca de coliflor
1 Saltear las cebollas con aceite y una pizca de sal marina durante 20 minutos.

2 Añadir la coliflor, agua que cubra la mitad de su volumen, otra pizca de sal marina y nuez moscada al gusto.

3 Tapar y cocer a fuego medio-bajo durante 15-20 minutos.

4 Preparar un puré; si hiciera falta, añadir leche de avena (en invierno) o de arroz (en verano) para equilibrar su consistencia, así como un poco más de nuez moscada, pimienta blanca y una pizca de miso blanco para rectificar su sabor.

Efecto
La salsa es una crema que nos da dulzor y calor interno equilibrando muy bien al hinojo.

Notas de presentación
La salsa blanca de coliflor sustituye a la salsa bechamel; aquí no hay ni harina ni leche, lo que la hace excelente para los intolerantes al gluten y a la lactosa, además de ser más fácil de digerir.

Queda muy bien asimismo con puerros cocidos al vapor durante 3 minutos, o en cualquier otro plato en el que utilizaríamos la bechamel (lasaña...).

11. Carpaccio de calabacín, nabo, calabaza y remolacha marinados con especias y tofunesa al curry

(Verano / primavera)

Ingredientes para 4 personas
| La parte estrecha de 1 calabaza, la que no tiene semillas
| 1 remolacha
| 1/2 nabo daikon o nabo normal

- 1/2 calabacín grande
- Pimienta, vainilla, clavo en polvo, curry
- 4 cs de aceite de maíz
- 1 cucharada de vinagre de arroz
- 1 cucharada de jugo concentrado de manzana
- 1 cucharada de sésamo tostado
- 1 taza de **tofunesa al curry:** 1 bloque de tofu fresco, una pizca de sal, 2 cs de aceite, 1 cs de miso blanco, 1/2 diente de ajo o 1/2 cc de curry, 1 cp de jugo concentrado de manzana, 1 cs de vinagre de arroz

Elaboración

1 Cortar las verduras en rodajas de un milímetro de grosor, o lo más finas que se pueda, con la mandolina o con un cuchillo bien afilado.

2 Sazonar por separado, en cuatro platos, cada una de las verduras con la mezcla de especias.

3 Emulsionar el aceite, el vinagre y el jugo concentrado de manzana y aliñar las láminas de verduras.

4 Dejar macerar tapado durante 2 horas en un lugar fresco.

5 Escurrir y servir en una fuente o en un plato intercalando las láminas de verdura.

6 Espolvorear en el momento de servir con las semillas de sésamo tostado.

7 Acompañar de **tofunesa al curry**.

Preparación de la tofunesa al curry

1 Hervir el tofu durante 10 minutos en agua que tan solo lo cubra con una pizca de sal.

2 Escurrir el tofu y triturarlo con los demás ingredientes y un poco de agua de cocción, hasta que tenga una consistencia más bien espesa.

Efecto

Este estilo de cocción enfría, lo que lo hace ideal para días calurosos; su sabor es más dulce y crujiente que crudo.

Notas de presentación

Presentamos las verduras intercaladas, quedando muy bonitas por el contraste de color, en una fuente rectangular o redonda y servimos la tofunesa en el centro o en un extremo de la fuente. Podemos sustituir la calabaza –si no hubiera– por zanahoria.

12. Tomates cherry rellenos de humus

(Verano)

Ingredientes para 6 personas

- 12 tomates cherry grandes
- **Humus**: 2 tazas de garbanzos cocidos, bien blandos, 1 cs de tahini (mantequilla de sésamo), el zumo de 1 limón, 1 diente de ajo (picado), aceite de oliva, pasta umeboshi al gusto

Elaboración

1 Escaldar los tomates durante 10 segundos en una olla con agua hirviendo y un poquito de sal. Dejar enfriar. Cortar la parte superior de los tomates, vaciarlos y reservar las tapas. Rellenar los tomates con el humus y volver a taparlos.

2 Pinchar con una brocheta de madera pequeña los tomates por la parte de la tapa. Servir fríos.

Preparación del humus

1 Con la ayuda de un pasapuré o de un tenedor, hacer puré con todos los ingre-

dientes del humus hasta conseguir una pasta de consistencia cremosa.

Efecto

Excelente fuente de proteína que revitaliza el organismo. Óptima para coger peso. Si se quiere perder peso, evitar el tahini. Ideal en verano y en climas cálidos.

Notas de presentación

Se puede presentar el humus con bastoncillos de verduras hervidas *al dente* como zanahorias, apio, endivias, espárragos.

Si son pequeños, se puede evitar escaldar los tomates.

13. Rodajas de pepino rellenas de paté de azukis

(Verano)

Ingredientes para 6-8 personas

| 2 pepinos medianos
| Hojas de menta
| **Paté de azukis:** 2 cebollas cortadas finas, 1 taza de judías azukis (remojadas toda la noche con 3 tazas de agua), 1 tira de alga kombu, 2 hojas de laurel, comino, aceite de oliva, sal marina, 1 cs de mugi miso, 1-2 cs de tahini claro

Elaboración

1 Quitar las tapas de ambos extremos de los pepinos y «frotarlas» contra estos hasta que salga un líquido blanco (eso hará que no «repitan» y sienten mal).

2 Pelar los pepinos y cortarlos a lo largo por la mitad.

3 Con ayuda de una cuchara, vaciar la parte interior compuesta por las semillas.

4 Rellenar con paté de azukis cada una de las cuatro mitades. Cortar en porciones de 2 a 3 cm y decorar con hojas de menta.

Preparación de paté de azukis

1 Lavar los azukis, colocarlos en la olla a presión con el alga kombu y el laurel. Cubrirlos totalmente de agua fría, llevarlos a ebullición sin tapa. Retirar todas las pieles sueltas de la superficie. Tapar y cocer a presión durante 1 hora. Si al cabo de este tiempo están tiernos y cremosos, apagar el fuego; si estuvieran duros, cocinar más tiempo ya sin la tapa. La consistencia final debería ser espesa. Si hubiera mucho líquido, dejar cocer sin tapa unos minutos.

2 Saltear las cebollas con un poco de aceite de oliva y una pizca de sal marina, sin tapa y a fuego bajo o medio durante 20 minutos. Mezclar los azukis y la cebolla salteada junto con el comino al gusto. Triturar hasta conseguir la consistencia de un paté. Reservar y enfriar en la nevera.

Efecto

Plato depurativo y adelgazante. Regula el azúcar de la sangre. Protege los riñones, además de ser laxante.

Es una manera muy nutritiva y divertida de comer una fuente de proteína excepcional.

Otoño

La entrada en el otoño se produce el 23 de septiembre, el día del equinoccio, cuando la oscuridad de la noche iguala la luz del día. A partir de este momento, las noches pasan a ser más largas que los días, hasta llegar al solsticio de invierno y la noche más larga, el 21 de diciembre.

En esta estación, después de la gran actividad del verano, la naturaleza nos invita al recogimiento y a ir preparándonos para el frío y la humedad del invierno. Hay que protegerse por dentro y por fuera. En otoño el tiempo parece dirigirse más hacia la familia y el trabajo; y es un buen momento para consolidar o poner en marcha los proyectos planificados. Es tiempo también para leer, escribir, reflexionar sobre la vida que se nos ha «regalado».

Nuestra salud dependerá de la capacidad de adaptación a los cambios que se producen con las estaciones. Es decir, del equilibrio entre las actividades hacia fuera y las dirigidas hacia nuestro interior.

Otoño suele ser sinónimo de regreso de las vacaciones, de vuelta al colegio, a los libros de texto; de retorno al trabajo y a la rutina pero, eso sí, con los ánimos renovados. Lo que ocurre es que, transcurrida la primera semana, con la ilusión de ver a nuestros compañeros de trabajo, de contar lo que hemos hecho durante las vacaciones..., estos ánimos se van diluyendo como arena que lleva el viento y nos invade la sensación innegable de tener que cumplir otra vez con nuestras obligaciones, con las prisas que conllevan y un horario establecido; y, poco a poco, el estrés vuelve a cohabitar con nosotros, y debemos empezar a gestionarlo de nuevo correctamente para no caer en el desánimo.

Quienes tenemos hijos, además añadimos el estrés del colegio, de las largas colas para comprar los libros de texto... con el añadido de que siempre falta alguno; parece que las editoriales se pongan de acuerdo para cumplir las expectativas de los padres de que hay cosas que nunca cambiarán, de forma que no hay año que podamos estar tranquilos y llegar a casa diciendo: «¡Cariño, tenemos todos los libros!».

También tenemos que organizar las actividades extraescolares y los niños, mientras esperan para comenzar el colegio, se quedan en casa, excitados y nerviosos, quizá por tener demasiadas vacaciones, o por disponer de mucho tiempo libre, muchas veces sin saber qué hacer y con la energía que nunca se les termina. Y los padres volvemos de trabajar cansados mientras nuestros hijos nos esperan ávidos de estar con nosotros, de jugar como en las vacaciones, en que teníamos todo el tiempo del mundo... ¿Alguien se siente identificado? Muchos de nosotros hemos vivido estas sensaciones, y las seguiremos viviendo.

AFRONTAR EL ESTRÉS

Y como sabemos que sucederá, a principios de septiembre, esperando la entrada del otoño y con él la llegada de los días más cortos en luz solar y los más alejados de las próximas vacaciones, hemos de mantener nuestra serenidad, nuestra alegría y nuestro rumbo en la vida. Y para ello nos tenemos que anticipar y organizarnos para que el estrés no nos invada.

Normalmente, durante las vacaciones, con frecuencia nos saltamos nuestros saludables hábitos de alimentación, aumentando así algunos kilos, por lo que nuestra salud acaba resentida. El primer día de trabajo es un buen momento para empezar con la determinación de volver a nuestra rutina en nutrición. Al tener que estar más horas concentrados, al principio nos sentiremos más cansados, y la alimentación, por tanto, deberá seguir siendo refrescante, porque el calor aún no habrá desaparecido en los primeros compases otoñales, pero tendrá que ser algo más energética.

Por este motivo, a principios de septiembre, sí es recomendable tomar un complejo antioxidante con selenio, coenzima Q10, vitaminas C, E, zinc y un buen complejo multivitamínico que lleve todos estos nutrientes, además de otros; todo dependerá de lo que queramos conseguir. Nosotros os propondríamos tomar el complejo multivitamínico por la mañana antes del desayuno y el complejo antioxidante antes de comer. Con este sencillo gesto, nuestra vitalidad se verá recompensada. Si a ello le añadimos una alimentación adecuada, en poco tiempo nos encontraremos en un estado fantástico de vitalidad y energía.

Estos suplementos son muy beneficiosos, pero, insistimos, siempre bajo la supervisión de un médico o de un farmacéutico especializado en medicina ortomolecular.

Reforzar la flora intestinal nos parece muy adecuado en esta época para mejorar también nuestras defensas y prepararnos para la entrada de las lluvias y la humedad del fresco otoño. No importa que evacuemos bien; siempre nos beneficiará reforzar nuestra flora intestinal durante unos 20 días. Nuestra recomendación para los niños es el KidsKyo-dophilus de Laboratorios Vitae y para los adultos el Kyodophilus one per day de Laboratorios Vitae. Y, aunque nos repitamos, queremos volver a incidir en la necesidad de hacer ejercicio moderado tres días por semana, como mínimo (podemos ir al gimnasio o incluso caminar a paso ligero), para que nuestro tono muscular y nuestro sistema cardiovascular estén mejor cuidados; al mismo tiempo, nuestro sistema emocional lo va a agradecer mucho, mucho, muchísimo. Hay una gran relación entre el ejercicio físico y el bienestar emocional.

MEDICINA PREVENTIVA

Lo que proponemos no es tarea fácil, pero no lo podemos dejar para el último día, nos hemos de anticipar. Es otra forma de hacer medicina preventiva que cuida y mima

nuestra salud física y, sobre todo, mental y emocional.

Y empiezan nuestras consultas.

En el mes de septiembre principalmente vemos a muchos niños que, si han pasado un buen verano, por norma general, les prescribimos medicamentos homeopáticos con los que queremos conseguir una mayor fortaleza de su sistema inmunológico para intentar evitar anginas, otitis y bronquitis que suelen empezar en otoño.

Para ello, les recomendamos tomar una dosis de Influenzynum 9 CH la primera semana, una de Thymuline 9 CH la segunda semana y una dosis de Serum Yersin 9 CH durante la tercera, y luego vuelta a empezar. Todo ello acompañado cada semana por una dosis de Oscillococcinum. Pero no les prescribimos a todos la misma fórmula. El médico homeópata utilizará una fórmula parecida pero distinta en función de cada persona, ya sea niño o adulto, y en función de la propia constitución y de su historia patológica o clínica. Junto con esta receta, dedicamos un tiempo a recordar a los padres la necesidad de mantener una correcta alimentación. Tenemos que conseguir que los niños desayunen en casa correctamente. Son muchos los padres que nos comentan que sus hijos no desayunan en casa porque se levantan sin hambre, una costumbre que a la larga les ocasionará problemas. Es de gran importancia que los niños desayunen bien, y si el problema reside en que nos levantamos con el tiempo justo, con los niños medio dormidos y muchos sin apetito, entonces tenemos que conseguir que se levanten antes. Es muy conveniente que cenen más temprano y de manera ligera la noche anterior: una forma de que se acuesten antes y descansen mejor. Hay que tener en cuenta que la mayor parte de los colegios, a primera hora, programan las asignaturas en las que se requiere más esfuerzo para pensar y razonar, porque en teoría son las horas en las que deberíamos estar más descansados. A media mañana pueden tomar un tentempié (que no sea bollería industrial) como fruta, zumo ecológico o agua con un pequeño bocadillo que les hayamos preparado en casa con pan de levadura madre de espelta, por ejemplo, acompañado con paté vegetal (hay gran variedad de patés vegetales y muy buenos, si no se tiene tiempo de hacerlos en casa) e incluso jamón dulce sin fosfatos, o de bellota, o atún, o sardinas, para quienes aún no hayan conseguido adecuar su paladar a los patés o proteínas vegetales.

PRIMER AÑO DE GUARDERÍA

Cuando el otoño avanza nos visitan padres con niños que desde que empezaron la guardería no han dejado de tener mocos y, con ellos, las temibles otitis, que no se terminan nunca, o las bronquitis, que van enlazando una tras otra. Los padres comienzan a hablar de la angustia vital que les genera tener semana sí y semana también a su hijo con mocos, en casa, con fiebre, sin poder ir a la guardería y con todo el arsenal terapéutico que le tienen que dar y que solo les soluciona el problema durante una o dos semanas... y vuelta a empezar.

Nos cuentan que habían oído decir que el primer año de guardería los niños lo pasan fatal, que la mayoría de ellos siempre están enfermos, y te lo dicen con resignación, como si fuera algo normal por lo que tienen que pasar todos los niños y padres en su primer año de guardería.

Les explicamos que haremos dos tipos de tratamiento de forma paralela: un tratamiento preventivo, en el que intentaremos conseguir que las defensas del niño estén lo mejor posible para que él pueda defenderse por sí mismo de todas estas infecciones, y otro tratamiento específico para cuando padezcan anginas, otitis, bronquitis o cualquier otra enfermedad.

El hecho de que los niños en los dos primeros años de vida preescolar se enfermen tanto se debe a varios factores. Uno de ellos es que su sistema inmunológico se debe adaptar o inmunizar frente a los continuos ataques de los microorganismos, y eso lleva un tiempo. Han pasado sus primeros meses de vida en casa, cuidados por los padres o los abuelos, y apenas han tenido contacto con otros niños, a no ser en los paseos por el parque o jugando un rato con otros compañeros de edad similar, pero la mayor parte del tiempo han estado con sus seres queridos, siendo los reyes de la casa, su paraíso, su feudo. Todos estamos pendientes de ellos y, cuando lloran, acudimos inmediatamente a ver qué necesitan; cuando sonríen, nosotros nos alegramos y sonreímos más, siempre atentos a sus necesidades y emociones; pero eso sucede en casa.

Hasta que un buen día, dejamos a nuestro hijo, en plena formación madurativa intelectual y psicoemocional –con menos de tres años, habitualmente–, en un lugar extraño llamado colegio o guardería, según la edad, con un gigante como nosotros que será su profesor o profesora y con otros diecinueve niños o más parecidos a él. Unos juegan, otros corren, otros duermen, otros lloran. Nuestro hijo, sin entender el porqué, ha perdido su paraíso particular, ya no es el rey de la casa; es uno más. Sus padres se alejan y desaparecen. Siente que sus padres le han abandonado en un «medio hostil». El niño pide socorro y empieza a llorar, porque sabe que ante el recurso del llanto acuden rápidamente a socorrerle, pero esta vez para auxiliarle no están ni sus padres ni sus abuelos. Al no obtener ninguna respuesta, en unos niños el llanto se hace aún más persistente, pero otros optan por no perder más energía y comienzan a observar su entorno.

De poco sirve que la profesora acuda a consolar a nuestro hijo, porque tiene diecinueve niños más y no le puede prestar toda la atención a la que está acostumbrado en casa. Esto le genera un estrés emocional y, con él, aparece el estrés a nivel inmunológico, el principal motivo por el que, en el primer y segundo año escolar, nuestros hijos suelen padecer tantas infecciones. En función de cómo sea su adaptación al entorno escolar, tendrán más o menos infecciones durante todo el curso.

Imaginémonos que nuestro hijo no se adapta bien y que se pasa los primeros días llorando. Cuando se dé cuenta de que el llanto en la escuela no le sirve, dejará de llorar; eso no significa que se haya adaptado. Al comenzar la segunda semana, llamamos al colegio para anunciar que nuestro hijo se quedará en casa porque tiene el cuello rojo y décimas de fiebre. Al recuperarse, lo mandamos de nuevo al «medio hostil» y... vuelta a empezar. ¡Con lo bien que estaba él en casa! A la semana, volvemos a llamar porque esta vez ya tiene anginas con fiebre alta, víricas, pero anginas al fin y al cabo.

No saldremos nunca de este círculo vicioso solo con medicamentos para la fiebre o antibióticos para las infecciones.

MEDICINA HOMEOPÁTICA

Por este motivo, el tratamiento preventivo que realizamos con medicina homeopática resulta tan eficaz en los niños que pasan por esta situación. Y, en función de cómo es cada uno y de cómo reacciona, le podemos recomendar un medicamento homeopático específico, ayudando a que su estrés emocional vaya desapareciendo rápidamente, normalizando así su sistema inmunológico. En estos casos, les daremos el Oscillococcinum los lunes y jueves, para fortalecer más su sistema inmunológico, además de administrarles el remedio específico para cada uno de ellos.

Otras veces ocurre que los niños se contagian entre sí, cuando están en «período de incubación», sin más; generalmente muestran solamente febrícula, sin otro síntoma. En este momento sería interesante no darles antitérmicos ni enviarlos al colegio; mejor dejar que descansen en casa, pues la febrícula o la fiebre nos indica que están «luchando» frente a algo, y hemos

Es muy importante realizar un Test de Intolerancia Alimenticia personalizado para poder detectar específicamente cuáles son las sustancias y alimentos que nos perjudican más, además de conocer los agentes o mohos específicos implicados, cómo se encuentra el sistema inmune, etc., y seguir los consejos básicos que os estamos dando en este libro. No hace falta cambiar drásticamente nuestros hábitos de alimentación, pero sí empezar con pequeños cambios que, sin duda, nos animarán a seguir por el camino de una alimentación saludable y responsable.

Testimonio de Jon

Son también muchas las personas que acuden a nuestra consulta buscando algún tipo de mejoría en las enfermedades crónicas a través de la medicina natural y la alimentación, porque la medicina convencional no se preocupa de la incidencia de la alimentación en la salud: se ocupa de dar tratamiento en forma de medicamentos, la mayor parte de por vida. Por este motivo, a estos pacientes se les abre una puerta llena de esperanza, igual que se nos abrió a nosotros. Estas personas, a pesar de perseverar en el tratamiento establecido, siguen con problemas y no se resignan a seguir así toda la vida, buscando una alternativa que mejore su enfermedad y les devuelva la salud.

Ese fue el caso de Jon, un paciente del País Vasco de treinta y tres años, diagnosticado de una enfermedad poco común: adrenoleucodistrofia.

Nos conocía por unos amigos que habían sido pacientes nuestros. No tenía muy claro en qué le podríamos ayudar, pero sí sabía que le cambiaríamos toda su alimentación.

En una visita le preguntamos si nos podía ofrecer su testimonio, y aceptó:

Vine porque me dijeron que estábais visitando a una chica con esclerosis múltiple y que le estaba yendo muy bien. Eso fue lo que me decidió, pero tampoco tenía claro a lo que venía. Yo creo que me dijeron «vamos a Barcelona» y yo vine. Sin más. Me habían diagnosticado una enfermedad neurológica llamada adrenoleucodistrofia degenerativa y no me dijeron nada más, salvo que no había solución y que no podían hacer nada por mí. Vosotros, en cambio, de mi enfermedad me hablasteis como nadie lo había hecho. Los anteriores médicos (vamos a decir «de la Seguridad Social») no me aclararon nada, ni me pusieron las cartas sobre la mesa... Como máximo, pues un «no hay nada que hacer, si te ha tocado te ha tocado...». En cambio, cuando vine a vuestro centro, toda la fuerza la pusisteis en mí; «está en tus manos», dijisteis.

A través del tratamiento, de la alimentación y de las palabras, le abrimos las puertas a Jon. La verdad es que, cuando lo conocimos, tener que decirle que debía cambiar el chuletón por el tofu o el seitán..., nos apuraba; no teníamos muy claro que fuera capaz de hacerlo.

Claro... cuesta un poco, pero bueno, ahora ya no como chuletas ni carnes rojas (o hago el intento de no comerlas porque, aunque me controlo mucho, me cuesta). No soy al 100 % estricto, pero intento amoldarme al tofu, al seitán, a las legumbres..., creo que sí hago algo. Y está funcionando, no sé el qué, pero algo funciona.

Cuando Jon empezó a acudir a nuestra consulta venía con muletas, y para hacer los 10 metros del pasillo se tomaba quizá 3 minutos. Ahora va sin muletas y no es que corra, pero camina mucho mejor.

Cuando me diagnosticaron la enfermedad, al poco tiempo me di cuenta de que no podía caminar bien como consecuencia de ella, pues, al ser neurológica, vas perdiendo la capacidad de caminar correctamente. Al menos a mí me afecta en eso, en el sistema nervioso en general. Pero, hará un año, empecé a quitarme la muleta y a andar más erguido y con menos dificultades, aunque todo ha sido muy progresivo. La verdad es que con esta alimentación noto que el cuerpo está mejor (aunque a veces te apetezcan cosas más carnosas, las de toda la vida); yo he encontrado el camino, el camino para mejorar e ir bien, pese a que, de momento, no hay nada que me guste, ningún plato. Si es que... no hay nada como una chuleta... Pero aun así, lo hago porque he entendido que este tipo de alimentación es como una medicina, como un medicamento más para luchar contra mi enfermedad.

Aunque Jon es muy escueto en sus palabras, es fantástico ver cómo ha cambiado en este año, no solo físicamente, sino men-

tal y emocionalmente. Está más alegre, más relajado y sereno, con más entusiasmo. Es estupendo saber que ha ido a esquiar, que piensa ya en escalar... Todo un ejemplo de «querer es poder».

Y tras Jon, hace dos años vino Jossu, su hermano, con un cáncer diagnosticado y en tratamiento.

Hay que decir que yo ya había estado en tratamiento por un cáncer que me localizaron tiempo atrás. Empecé con médicos de la zona, pero el trato no era nada personalizado. Todo era hablar antes con la oficinista y pedir hora aunque fuera solo para resolver alguna duda. Todo era muy frío. Así que, al ver el trato que le disteis a Jon y la atención que recibía, decidí ir a vuestro centro a visitarme. En la primera visita, me esperaba cualquier cosa, pero como estábamos muy desesperados... Y me encantó. Francamente me gustó mucho. Me pareció bastante serio, cañero, potente y además profundo. Con un cáncer diagnosticado, más o menos, yo tenía una idea clara del tratamiento, el procedimiento, las mediciones... Así que no me cogió tan de sorpresa como en el caso de mi hermano, que me dejó atónito. Pero me gustó. En cuanto a la dieta, aunque ya la había cambiado anteriormente, seguía con pastas, cereales, huevos... Luego vine aquí y lo primero que hicisteis fue medirme con el aparato (ese que al principio impresiona un poquito) –se refiere al aparato de Biorresonancia Mora–

Cuando empecé con el tratamiento, tenía amigos que hacían o que ya habían seguido tratamientos con medicinas alternativas y, por lo tanto, sabía que la alimentación era una parte importante en este tipo de praxis. Digamos que ya imaginaba que tendría que aprender mucho sobre alimentación –y más sabiendo que mi problema o la forma de manifestarse de este era a través del sistema digestivo–; por esto lo que me sorprendió no fue el hecho de que el tratamiento se basara en la alimentación, sino constatar que esta era básicamente mi tratamiento.

Con un cambio de dieta radical, con «normas» de cómo cocinar, qué comer y qué no, uno tiene la sensación de que la lista de los «noes» es más larga que la de los «síes». ¡Y esto asusta un poco al principio...! Pero la Dra. Pérez me ayudó mucho proporcionándome menús concretos con recetas y solucionando todas mis dudas por correo electrónico siempre que lo necesitaba, o por teléfono cuando no podía ir a su consulta por la distancia.

Por mis estudios, para poder especializarme, me tuve que desplazar a Inglaterra, concretamente a Londres. Encontrar alimentos en esta ciudad, que era extraña para mí, fue un poco difícil al principio, pero solo al principio. Gracias a algunos amigos que hacía tiempo que ya se habían interesado por distintos tipos de dietas alternativas, conseguí las direcciones que necesitaba. Acostumbrarme a una nueva forma de nutrición no me resultó difícil. Por suerte no soy nada remilgada con la comida, me gusta todo y al principio hasta disfrutaba descubriendo y probando cosas nuevas. ¡Pero es verdad que uno siempre echa de menos comer aquellas cosas que le gustan cuando tiene que dejar de tomarlas!

Creo que la mayor dificultad con la que me encontré fue acostumbrarme y obligarme, al llegar a casa tarde por la noche, muy cansada y tras un largo día de universidad y estudio, a tener que cocinar el desayuno, la comida y la cena para el día siguiente. No poder hacerme una ensalada rápida e ir a la cama ¡no fue nada fácil! Pero para conseguirlo me dije a mí misma que esto era un compromiso que yo tomaba con mi cuerpo. Si decidía ir por este camino, el compromiso tenía que ser máximo y no podía romperlo en ningún momento. Cumplir este deber, y el hecho de organizar una especie de «calendario semanal» con los menús de cada día, me ayudó a coger una rutina y cambiar mis hábitos por completo.

Los resultados tardaron un poco en llegar. Eso hizo que fuera duro y un poco difícil al principio, ya que había que seguir confiando en el camino que había decidido tomar, aunque me sintiera mal y no viera una mejora inmediata. Pero supongo que hay que dar tiempo al cuerpo para mejorar, y confiar en tus médicos. Y esto es lo que hice. Y la verdad es que ahora estoy muy contenta del cambio de vida y hábitos que he adquirido. No solo porque me encuentro muy bien, sino también porque he aprendido muchas cosas que antes no sabía.

Durante el tiempo que estuve mal, y a lo largo del proceso de cambio, aprendí a escuchar y a conocer mi cuerpo de una manera que no conocería si no hubiera sido por todo este proceso. Aprender a reconocer cómo se sienten tu estómago y tu cuerpo; qué alimento te causó dolor o una mala digestión en aquel preciso momento; reconocer que tu cuerpo te pide energía y ser capaz de satisfacerle con los nutrientes que necesita y no solo con aquello que aparentemente te apetece tomar; darse cuenta de que una buena dieta puede ser también muy gustosa y placentera; sentir que con estos nuevos hábitos no solo te sientes bien, sino que conoces tu cuerpo, al que escuchas y cuidas de manera saludable, todo esto, se ha convertido en algo muy importante para mí.

Aun así, debo también mencionar que hay algunos aspectos de este nuevo estilo de alimentación que todavía me resultan difíciles. Por ejemplo: algo que se me hacía imposible durante los primeros años de mi tratamiento, y que todavía ahora resulta algo complicado, es el hecho de combinar esta dieta con la vida de músico profesional. Por suerte, gracias a la gran mejora en mis digestiones, ahora puedo ser más flexible y algo menos estricta en mi dieta, lo cual me ha ayudado mucho cuando tengo que viajar y comer fuera de casa. De todas maneras, estar de gira a menudo, viajar a cualquier país con tradiciones culinarias dispares y continuar con la base de la alimentación que necesito seguir, no es nada fácil. A veces porque, entre ensayos y conciertos, no hay tiempo de buscar el sitio ideal donde poder comer sano; otras, porque la cocina del país en cuestión no es capaz de adaptarse a mis necesidades; y otras, porque sin conocer el idioma, es difícil conseguir lo que deseas comer. Cuando viajo, siempre intento llevarme comida,

pero esto solo es posible si el viaje es corto, de un par de días, pero no cuando estoy de gira. En este caso, en viajes largos, aún lo paso un poco mal, ya que, por no poder comer como debiera, vuelvo a padecer malas digestiones –aunque por suerte ahora son muy esporádicas–, o por tener que preguntar siempre los ingredientes y elaboración de cada plato antes de elegir un menú (restaurante), lo que me hace sentir algo incómoda cuando voy acompañada por otras personas, ya que esta situación genera muchas preguntas y hasta preocupación por parte de mis compañeros que no han conocido mi situación cuando estaba enferma. Todo eso me hace sentir que tengo un «problema» cuando, en el día a día, estoy feliz por todo lo conseguido, por estar bien, por haber decidido seguir una forma sana de vida, por haber decidido cuidarme. Pienso que en verdad ha valido la pena llevar a cabo este cambio de alimentación y por ello me gusta explicar lo que ha significado mi propia experiencia.

Alimentos para el otoño

- **VERDURAS REDONDAS:** Brécol, brócoli, bróquil, calabaza, col lombarda, col china, col blanca, coles de Bruselas, coliflor, repollo...

- **VERDURAS DE RAÍZ:** Cebolla, chirivía, nabo, remolacha, zanahoria, boniato...

- **VERDURAS DE HOJAS VERDES y OTRAS:** Achicoria, aguacate, alcachofa, apio, canónigos, cardo, champiñones, hinojo, lechuga, lollo rosso, pepino, puerro.

- **HIERBAS SILVESTRES O AROMÁTICAS:** Ajo, anís verde, angélica, albahaca, bardana, comino, estragón, hinojo, enebro, lavanda, mejorana, romero, salvia, cola de caballo, saúco, tilo, tomillo, vainilla, verbena.

- **CEREALES INTEGRALES:** Arroz integral de grano medio y corto, mijo, avena, quinoa, espelta...

- **PROTEÍNAS:** Legumbres (**lentejas, garbanzos, castañas, judías blancas, judías pintas...**) estofadas a fuego lento que generen calor interior, **seitán, tofu y tempeh** en cocciones más largas y algo más de **pescado rojo y azul**, así como **marisco** en general.

- **ALGAS:** Hiziki, espagueti de mar...

- **ACEITE:** Aguacate, almendra, avellana, nuez, cacahuete, anacardo, aceitunas.

- **FRUTAS:** Caqui, granada, higo, manzana, melocotón de Calanda, membrillo, mora, pera plátano, uva... Mejor cocidas con especias que calienten (canela, jengibre...) y tomarlas como tarta de frutas, mouse, compota...

- **SABOR:** Hay que **AUMENTAR EL DULZOR** en todas nuestras comidas y darle un toque **PICANTE** (rabanitos, nabos, jengibre, mostaza, berros, cebollino...).

- **ESTILOS DE COCCIÓN:** Cocciones más lentas, a fuego medio-bajo y durante más tiempo, que nos CALENTARÁN Y REFORZARÁN: **Estofados cortos, salteados largos, presión, horno, pickles largos, tempura,** combinados con cocciones ligeras como **escaldados, vapor, hervidos o salteados cortos.**

- **LOS PROBIÓTICOS:** Como ya hemos comentado, seguimos insistiendo en la salud de nuestra flora intestinal, que determinará nuestro estado de salud inmunitario, además de ayudarnos a absorber mejor todos los nutrientes que provienen de nuestra alimentación.

Por este motivo aconsejamos en otoño un beneficioso tratamiento a base de probióticos. Un probiótico de calidad es aquel microorganismo vivo que se introduce en la dieta ejerciendo una acción positiva en nuestra salud, pero es necesario tomarlo de forma regular. Si queremos seguir una buena alimentación, nos hemos de asegurar de que podemos absorber perfectamente todos los nutrientes que ingerimos, y ello dependerá de nuestra salud intestinal.

Además los probióticos nos ayudarán a prevenir infecciones intestinales, especialmente las producidas por las cándidas, que tantos problemas provocan a una gran parte de la población. También nos ayudarán a mejorar el estreñimiento, así como los procesos diarreicos que puedan acontecer en personas con enfermedades como el síndrome de colon irritable. Los probióticos mejoran y fortalecen nuestro sistema digestivo, ayudan a eliminar los radicales libres originados por el riñón y el hígado, y aportan muchos otros beneficios. No hemos de olvidar que una alteración grave del equilibrio de la flora intestinal viene ocasionado por la toma de ciertos medicamentos convencionales como son los antibióticos, que tanto se usan. Por esta razón, durante o después de un tratamiento a base de antibióticos, es imprescindible seguir un tratamiento que restablezca el equilibrio de la flora intestinal.

También se producen daños en la flora intestinal por la ingestión de otros medicamentos, como los tratamientos hormonales: por infecciones producidas por hongos; por estrés y por radiaciones de cualquier tipo (geopáticas, con frecuencias elevadas, como las emitidas por móviles o sistemas wifi...), así como por una malnutrición. Y si esto ocurre y no le prestamos la atención que merece a nuestra flora intestinal de forma que pasa el tiempo sin que restablezcamos nuestra salud del intestino, podría ser el comienzo de otras dolencias, como fatiga crónica, fibromialgia, problemas de piel, alergias, enfermedades relacionadas con el sistema inmunológico... Y todo por una flora intestinal alterada.

Nosotros tenemos especial interés en restablecer el equilibrio de la flora intestinal porque nos hemos dado cuenta de que, después, es más fácil que los pacientes se encuentren mucho mejor, independientemente de la enfermedad que padezcan. Para ello solemos utilizar los productos de los laboratorios Wakunaga (Kyo-dophilus) o bien los del laboratorio Symbiopharm (Symbiolact, Symbioflor 1 y 2). Hay muchos otros en el mercado, y no dudamos de que la mayoría de ellos sean de gran calidad, por ello un buen médico podrá ayudarle y recomendarle el más adecuado.

Por este motivo, también recomendamos que en cada comida haya 1-2 cs de alimentos lactofermentados o pickles.

Crema de chirivía

Recetas de otoño

1. Crema de chirivía

Ingredientes para 4-6 personas
| 4 cebollas cortadas finas en forma de medias lunas (560 g)
| 4 chirivías cortadas en rodajas finas (560 g)
| Aceite de oliva, sal marina, laurel y cebollino picado

Elaboración
1 Escaldar las chirivías en agua hirviendo con una pizca de sal durante 1 minuto y escurrir.

2 Saltear las cebollas con el aceite y una pizca de sal marina a fuego bajo y sin tapa durante 20 minutos o hasta que queden muy blandas.

3 Añadir las chirivías escaldadas, el laurel y el agua de escaldar las chirivías (solo si son ecológicas) o agua natural que cubra las verduras. Tapar y cocer a fuego medio-bajo durante 45 minutos. Retirar el laurel.

4 Preparar un puré. Servir y añadir cebollino picado.

Efecto
Es una crema muy dulce, de excelente calidad, que nos da calor y fuerza interior. Importante para adaptarnos al frío que comienza y reforzar así nuestro sistema inmune.

- La chirivía es una verdura de raíz, desconocida en nuestro medio pero que posee excelentes propiedades; y es muy nutritiva, como la zanahoria.

2. Sopa de castañas
(Otoño/invierno)

Ingredientes para 6 personas
| 1 puerro cortado en rodajas finas
| 1/2 chirivía cortada en cerillas cortas y gruesas
| 1 rodaja grande de calabaza cortada en cuadraditos
| 1 rama de apio cortada fina
| 2 hojas de acelga cortados en tiras finas
| 250 g de castañas tostadas o, si son crudas, remojadas toda la noche con litro y medio de agua
| 1 tira de alga wakame (5 cm)
| Fideos integrales

Sopa de castañas

| Hierbas aromáticas (romero, semillas de anís, hierbas provenzales...)
| 1 cs de miso blanco

Elaboración
1 Colocar las castañas crudas en una cazuela o en la olla a presión, junto con el alga kombu y agua fría que las cubra. Llevar a ebullición durante 5 minutos, retirar las pieles que pudieran aparecer en la superficie. Tapar y cocer hasta que las castañas estén completamente blandas (45 minutos a presión o 1 hora en olla de fondo grueso), condimentarlas con una pizca de sal marina o salsa de soja y cocinarlas 10 minutos más hasta que todo el exceso de líquido se haya evaporado por completo.

2 En otra cazuela saltear el puerro en aceite con una pizca de sal durante 10 minutos o hasta que esté pochadito.

3 Añadir el resto de las verduras y saltear un poco añadiendo de nuevo una pizca de sal y las hierbas aromáticas al gusto. Cubrir las verduras con agua y dejar hervir a fuego medio 10 minutos.

4 Añadir los fideos y las castañas trinchadas y seguir cocinando todo hasta que estén cocidos los fideos.

5 Triturar 2 cucharones de la sopa para espesarla un poco. Añadir más agua si fuera necesario

6 Diluir el miso blanco en un poco del caldo y añadir al final antes de servir.

Efecto
Es una sopa muy nutritiva y nos da calor interno.

- Podemos utilizar las castañas asadas que venden en la calle, que quedan estupendas, o tostarlas nosotros al horno.

3. Macarrones con tempeh y salsa de remolacha

(Otoño y el resto del año)

Macarrones con tempeh y salsa de remolacha

Ingredientes para 4 personas

| 250 g de macarrones integrales o de arroz, maíz u otro cereal
| 2 paquetes de tempeh cocido
| 1 cs de aceite
| 4 hojas de albahaca
| Almendra molida
| 1 taza de **salsa de remolacha:** 6 zanahorias (cortadas en rodajas finas), 2 cebollas (cortadas en juliana finas), 1 remolacha pequeña cocida (en rodajas finas), 3 cucharadas de aceite de oliva o de sésamo y sal marina, 1 cucharada de orégano seco, 2 dientes de ajo o la cantidad equivalente de jengibre (picados).
| Condimentos: 2 cucharadas de vinagre de umeboshi, 2 cucharadas de concentrado de manzana.

Elaboración

1 Hervir los macarrones durante 12 minutos o el tiempo que indique el paquete. Escurrirlos, enfriarlos con agua y reservarlos.

2 Cortar el tempeh en trocitos del tamaño de una avellana y saltearlos en una sartén con una cucharada de aceite y otra de salsa de soja.

3 Mezclar el tempeh con los macarrones.

4 Calentar la salsa de remolacha y añadirla a los macarrones.

5 Sazonar con pimienta y la albahaca picada.

6 Poner el conjunto en una bandeja para el horno.

7 Repartir la almendra molida por encima de los macarrones y gratinarlos en el grill.

Preparación de la salsa de remolacha

1 Saltear el ajo o la cantidad equivalente de jengibre y las cebollas en una cazuela con un poco de aceite y una pizca de sal durante 20 minutos o hasta que estén blandas.

2 Añadir las zanahorias, el orégano, otra pizca de sal y agua que cubra las verduras. Tapar y cocer a fuego medio durante 20 minutos.

3 Si hubiera demasiado líquido, sacar un poco antes de hacerlo puré, pues la consistencia debe ser un poco espesa, o como nos guste.

4 Añadir poco a poco la remolacha hasta obtener el color deseado y luego los condimentos; batir bien. Dejar reposar 5-10 minutos y, si hace falta, ajustar el color

Pastel de mijo relleno de boloñesa de seitán

con un poco más de remolacha y el sabor con más condimentos, hasta conseguir un aspecto y un sabor como de salsa tomate.

Nota
Conviene ir añadiendo la remolacha poco a poco, para que al mezclarla con el naranja de la zanahoria se consiga un color rojo como el del tomate. Al principio, cocinar con poca sal, pues el vinagre de umeboshi también es salado.

Efecto
Tiene un efecto relajante. La salsa ayuda a hacer más nutritivo el plato. Con la pimienta, el ajo o el jengibre se estimula más la digestión.

Notas de presentación
La salsa de remolacha sustituye a la tradicional salsa de tomate. Excelente para aquellas personas con problemas articulares que no deberían tomar solanáceas

(tomate, pimiento, patata, berenjena). La pasta, en general, gusta a todo el mundo, y es una manera de introducir las proteínas vegetales, sobre todo en los niños.

- En aquellos que son celíacos, la pasta, por supuesto, sin gluten.

4. Pastel de mijo relleno de boloñesa de seitán
(Otoño/invierno)

Ingredientes para 4 personas
| 2 cebollas medianas a cuadraditos
| 100 g de mijo (lavado y escurrido)
| Sal marina
| Aceite de oliva
| Leche de avena
| Laurel
| Pimienta negra (opcional)
| Almendra molida
| 8 cs de **boloñesa de seitán:** *véase receta V7*

Elaboración
1 Saltear las cebollas con un poco de aceite y sal durante unos minutos. Añadir el mijo y rehogarlo durante 2-3 minutos para que se tueste un poco.

2 Añadir 3 tazas de agua, laurel y cocer a fuego lento con tapa y difusor entre 20 y 25 minutos.

3 Retirar el laurel y triturar añadiendo leche de avena, pimienta molida y nuez moscada hasta conseguir una consistencia tipo puré. Dejar atemperar durante unos minutos.

4 En una fuente para horno, poner una capa de puré de mijo, encima la boloñesa de seitán, cubrir de nuevo con otra capa de mijo y espolvorear con almendra molida y gratinar.

Efecto

Es un plato muy nutritivo que fortalece la digestión. También aumenta la concentración mental y potencia nuestro sistema inmunitario.

Excelente para el sistema nervioso. Estupendo si hay sobrepeso.

Notas de presentación

Se puede optar por no gratinar. En este caso, pondremos en la capa superior una verdura, preferentemente verde, como brócoli hervido, para que quede más vistoso; también se puede acompañar al lado.

Otra posibilidad también es mezclar entre las capas un poco de salsa de remolacha.

5. Bolas de arroz

Ingredientes para 4 piezas

| 1 hoja de nori
| 1 cc de pasta de umeboshi
| 140 g de **arroz integral hervido** de grano corto

Elaboración

1 Tostar la hoja de nori cerca de la llama por su parte rugosa hasta que cambie a un color verde brillante; cortar la hoja tostada en cuatro partes iguales.

2 Tomar una parte del arroz cocido con las dos manos húmedas y presionarlo, hasta formar una bola firme.

3 Hacer un agujero en medio de la bola, colocar una pizca de la pasta umeboshi y cerrar de nuevo presionando bien. Repetir la misma operación con el resto del arroz.

4 Lavarse y secarse las manos. Colocar un cuadrado de nori en la base de la bola y otro cuadrado encima, de forma que al unirse se sobrepongan y se cierren bien. Presionar con fuerza para adherir uniformemente la hoja de nori a la bola. Repetir con el resto de las bolas.

Preparación del arroz integral hervido

1 Lavar el arroz, colocarlo en una olla a presión junto con dos tazas de agua y una pizca de sal, tapar y llevar a ebullición; después, reducir el fuego al mínimo y cocer durante 45 minutos con difusor. Para confeccionar las bolas debe quedar más bien pasadito.

- Este es un plato adecuado para llevarse de viaje, pues proporciona mucha energía; o para los deportistas cuando practican deporte durante una temporada larga, porque les procurará mucha resistencia. Nosotros lo recomendamos a los escaladores, pues es un alimento de excelente calidad, así como fácil de tomar y transportar durante la escalada.

6. Paella de verduras con seitán y tofu

Ingredientes para 4 personas

| 1 taza de arroz basmati integral (300 g)
| 2 cebollas cortadas en dados pequeños

| 2 zanahorias cortadas en rodajas finas o en flor y hervidas durante 3 minutos
| 1 manojo de judías verdes cortadas en cuadrados y hervidas durante 10 minutos
| 1/4 de brócoli cortado en ramilletes y hervido durante 5 minutos
| 4 cs de maíz hervido
| 1 paquete de seitán cortado en dados medianos
| 1 paquete de tofu ahumado cortado en cuadrados medianos
| 1 hoja de laurel
| Sal marina
| Azafrán o cúrcuma
| Romero o hierbas provenzales
| Perejil y albahaca fresca y troceada
| 1 cs de aceite de oliva y salsa de soja

Elaboración

1 Lavar el arroz y colocarlo en una cazuela con 2 tazas de agua junto con la cúrcuma diluida, el laurel y una pizca de sal marina. Tapar y llevar a ebullición; reducir el fuego al mínimo y cocer durante 35 minutos con una placa difusora. Apagar y dejar reposar unos minutos.

2 Sofreír en una cazuela grande y ancha sin tapa las cebollas con el aceite, el romero o las hierbas provenzales y una pizca de sal durante 10 minutos y a fuego lento.

3 Saltear el seitán y el tofu ahumado con un poco de romero en una sartén en 1 cs de salsa de soja hasta que se dore. Añadir al arroz y mezclar con cuidado.

4 Añadir las zanahorias, las judías verdes y el maíz con un poco del caldo de las verduras y amalgamar todos los sabores durante 3 minutos. Mezclar con cuidado para no romper las verduras.

5 Añadir el brócoli alrededor de la paella y servir con perejil picado.

Paella de verduras con seitán y tofu

7. Pimientos del piquillo rellenos de revoltillo de tofu y bacalao

(Otoño)

Ingredientes para 4 personas
| 12 pimientos del piquillo en conserva escurridos
| 3 cebollas cortadas finas en forma de medias lunas
| 1 bloque de tofu fresco japonés o fresco normal
| 100 g de bacalao desalado desmenuzado (opcional)
| Aceite de oliva
| Sal marina
| 2 dientes de ajo

| 1 hoja de laurel
| Cebollino crudo cortado fino
| 2 cs de almendra molida

Elaboración

1 Saltear las cebollas, sin tapa y a fuego medio-bajo, con un poco de aceite de oliva, una hoja de laurel y una pizca de sal marina durante 20 minutos o hasta que queden muy pochadas. Una vez cocidas, poner en el suribachi, añadir el bacalao y mezclar hasta uniformar la textura del conjunto.

2 Confitar los ajos con un poco de aceite en un cazo a fuego muy lento y sin que llegue a hervir durante 15 minutos.

3 Hervir el tofu crudo o fresco durante 10 minutos con agua que lo cubra y una pizca de sal. Escurrirlo y desmenuzarlo.

4 Mezclar el tofu, la cebolla salteada con el bacalao y una pizca de sal marina (si hiciera falta) en el suribachi. Emulsionar la mezcla añadiendo el aceite de ajo poco a poco, hasta conseguir la consistencia deseada; añadir un poco de pimienta y nuez moscada si fuera necesario y según el gusto.

5 Rellenar los pimientos con la mezcla anterior (se puede utilizar una manga pastelera) y colocarlos en una bandeja para ir al horno.

6 Pincelar los pimientos con aceite de oliva confitado y espolvorear con almendra cruda rallada. Calentar al horno hasta que la almendra se dore.

Efecto

Plato nutritivo –que no engorda– de fácil digestión.

Pimientos del piquillo rellenos de revoltillo de tofu y bacalao

Notas de presentación

En lugar del pimiento se puede utilizar como «vestido» col hervida, alcachofa, calabacines o endivias, según la estación.

Acompañarlo con alga lechuga de mar, por ejemplo, u otra alga para remineralizar y compensar el efecto del pimiento.

8. Estofado de seitán al marsala

(Otoño/invierno)

Ingredientes para 4 personas
| 2 cebollas picadas finas
| 1 ajo picado fino
| 2 paquetes de seitán cortado a lonchas medianas o a cuadrados
| Aceite de oliva
| Sal marina
| 1 cs de kuzu

Olla de azukis con verduras picantes

salsa de soja y un fondo de agua y cocer 2 minutos. Añadir el seitán, el jugo concentrado de manzana, la salsa de soja y la pimienta.

3 Tapar y cocer a fuego lento durante 10-15 minutos. Servir con perejil picado.

Efecto

Es un plato que fortalece la digestión; excelente asimismo después de hacer ejercicio físico.

Si hay poca fuerza digestiva, evitar las almendras y disminuir la cantidad de aceite.

Es muy rápido de hacer y muy aromático.

- | 3 cucharadas (60 g) de almendras tostadas y peladas
- | 3 cucharadas (50 g) de piñones ligeramente tostados
- | Una ramita de tomillo
- | 150 ml de vino de Marsala
- | 100 ml de agua mineral
- | 2 cs de jugo concentrado de manzana
- | 2 cs de salsa de soja
- | Pimienta molida
- | 1 cucharada de salsa de soja
- | Perejil

Elaboración

1 Calentar una cazuela mediana, añadir un poco de aceite, el ajo, la cebolla y una pizca de sal marina. Sofreír a fuego medio y sin tapa durante 5-6 minutos. Añadir el kuzu previamente diluido con agua fría y dejar sofreír 2 minutos más.

2 Picar o triturar finamente las almendras y los piñones y añadir al sofrito, juntamente con el vino dulce, el tomillo, la

9. Olla de azukis con verduras picantes
(Otoño/invierno)

Ingredientes para 4 personas
- | 2 cebollas picadas a cuadraditos
- | 1 puerros cortados en rodajas
- | 1/2 hinojo cortado en juliana
- | 4 rabanitos cortados en rodajas
- | 140 g de azukis (remojados durante 10 horas)
- | 5 cm de alga kombu
- | Tomillo seco
- | Sal marina
- | 1 cs de salsa de soja.
- | Cebollino crudo cortado fino

Elaboración

1 Saltear las cebollas con el aceite y una pizca de sal marina durante 10 minutos.

2 Añadir los azukis bien escurridos (tirar el agua del remojo), el alga kombu, el

tomillo y agua fresca que cubra todos los ingredientes. Llevar a ebullición; retirar con una espumadera las pieles de los azukis que pudieran aparecer en la superficie del líquido. Tapar y cocer a fuego bajo durante 1 hora.

3 Saltear con un poco de aceite y una pizca de sal los puerros, los rabanitos y el hinojo a fuego fuerte procurando que queden crujientes pero cocidos.

4 Una vez los azukis estén cocinados al punto, apagar el fuego y añadir la salsa de soja y las verduras salteadas.

5 Servir con el cebollino cortado fino.

Efecto

Plato depurativo y adelgazante. Excelente regulador del azúcar en la sangre. Protege y refuerza los riñones. Tiene efecto laxante. Nutre las glándulas suprarrenales, lo que refuerza nuestras reservas energéticas.

La judía azuki es la única legumbre alcalinizante por su riqueza en minerales, y es menos proteica que el resto.

El tomillo es picante y amargo.

10. Croquetas de tempeh

Ingredientes para 4 personas
| 1 bloque de tempeh
| 1 tira de alga wakame
| 1 cebolla picada
| 1 diente de ajo picado
| 1 cp de comino
| Hojas de perejil picadas finas
| 1 hoja de laurel
| Salsa de soja

| Aceite de oliva
| Harina blanca de trigo o de arroz

Elaboración

1 Cocer el tempeh con agua que cubra la mitad de su volumen, el alga wakame, la salsa de soja y el laurel durante 15 minutos. Retirar el laurel y el alga wakame y desmenuzar el tempeh con la ayuda de un tenedor.

2 Sofreír la cebolla y el ajo con un poco de aceite de oliva y una pizca de sal, durante 10 minutos. Añadir al sofrito el tempeh desmenuzado, agregando comino y perejil. Mezclar bien para obtener una masa espesa y que quede más bien seca. Dejar enfriar.

3 Coger pequeñas cantidades y hacer croquetas (o la forma que se desee). Rebozar con harina blanca y freír unos minutos por los dos lados. No es necesario mucho aceite, con poco es suficiente. Servirlas calientes con nabo o rabanito rallado para contrarrestar el frito.

Efecto

Plato muy nutritivo y digestivo.

Notas de presentación

A esta base se puede añadir cualquier otra verdura según el gusto, como zanahoria rallada, pimiento rojo, guisantes, alcaparras, cereal ya cocido, semillas tostadas...

Acompañar con pickles o encurtidos.

Croquetas de tempeh

11. Chips de verduras con paté de aguacate

(Otoño/verano)

Chips de verduras con paté de aguacate

Ingredientes para 4 personas

| Chips de verdura. Las verduras cortadas en láminas finas o con mandolina
  - En verano: calabacín, calabaza de verano, pepino, hinojo, zanahoria, remolacha, yuca
  - En otoño: calabaza, zanahoria, chirivía, remolacha
| Harina de arroz
| Pimienta molida
| **Paté de aguacate:** 2 aguacates maduros, unas gotas de limón, 2 cs de aceite de oliva, 2 cs de miso blanco, 2 cc de pasta de umeboshi
| Cebollino picado

Elaboración

1 Calentar el aceite, enharinar las láminas de verduras y freír.

2 Escurrir en papel absorbente y añadir un poco de pimienta recién molida.

3 Servir con el paté de aguacate.

Preparación del paté de aguacate

1 Deshuesar los aguacates y rociar con el limón para que no ennegrezcan.

2 Hacer puré con los demás ingredientes y un poco de agua hasta obtener la consistencia deseada. Dejar el hueso del aguacate en medio para que no se oxide.

3 Añadir un poco de cebollino picado y servir con los chips de verdura.

Efecto

Estupenda fuente de ácidos grasos esenciales y de minerales; no contiene colesterol. Estimula el apetito sexual. Fortalece la digestión. Muy nutritivo. De alto contenido en hierro, se absorbe mejor que el de otros vegetales.

Notas de presentación

Para obtener el efecto de color, pondremos los chips intercalados y el paté al lado.

En lugar de freír también podemos hornear las verduras durante 1 hora a 120° C.

12. Kimpira de zanahoria con alga dulse

Ingredientes para 4-6 personas

| 3 zanahorias cortadas a punta de lápiz (*véanse los métodos de corte en el DVD*)
| 1 cs de alga dulse remojada durante 3 minutos, escurrida y cortada a trocitos

Kimpira de zanahoria con alga dulse

| 1 cs de semillas de sésamo tostadas
| Jengibre fresco rallado y escurrido
| Sal y aceite

Elaboración

1 Se saltea constantemente la zanahoria durante 15 minutos con aceite y una pizca de sal.

2 Le añadimos el alga dulse y el jengibre; remover 1 minuto.

3 Servir con las semillas de sésamo.

Efecto

La zanahoria queda muy dulce y calienta el cuerpo, con lo que se recomienda tomar por la noche. Por otra parte, fortalece los riñones y la digestión.

13. Calabaza al horno

Ingredientes

| 1 calabaza
| Un chorro de aceite de oliva

Elaboración

1 Lavar y cortar la calabaza en rodajas, como si fuese un melón.

2 Untar las dos caras de cada rodaja con un poco de aceite y cocerla al horno durante 50 minutos, o hasta que esté dorada y blanda.

3 A media cocción, darle la vuelta para que se dore por las dos caras.

Efecto

Nutre e hidrata el intestino. Da energía y, por su sabor dulce, relaja.

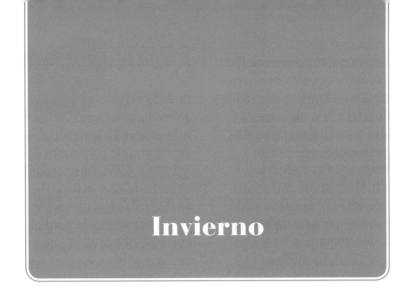

Invierno

Hemos llegado a la última estación del año, el invierno.
El 21 de diciembre es el solsticio de invierno, el día de la noche más larga. A partir de este momento cada día habrá más luz. Es la estación más fría y oscura.

La naturaleza está en la estación de descanso –callada, profunda–, preparándose para la primavera. Es momento de descansar bien y de tomar buenos alimentos; también es un período de relajación, calor y sueño. El tiempo de soñar es muy importante para recuperarse. Los días de lluvia y frío nos invitan a estar más tiempo en casa con la familia y los amigos.

El poder del invierno es profundo. Es un tiempo para conservar la energía. Durante esta estación es conveniente conservar y consolidar. Es un buen momento para los ejercicios de interior como el yoga, el taichi, los de relajación y respiración.

Con el invierno llegará el frío, las heladas, pero también las fiestas navideñas, muy celebradas entre nosotros. La Navidad es una fiesta especial, muy entrañable y llena de simbolismo, en la que se suele reunir toda la familia. Para otros, es una época triste, porque algunos seres queridos ya no se encuentran entre nosotros o, simplemente, porque no celebran esta festividad y les agobia el bombardeo constante de la publicidad y el marketing buscando que gastemos en cosas que realmente no necesitamos.

abrigo de nuestra cama en vez de levantarnos y empezar el día de la mejor manera: con movimiento. Nuestro cuerpo nos lo agradecerá, no os quepa la menor duda, tanto física como mentalmente.

El tratamiento homeopático es muy agradecido en todos estos casos, y suele dar unos resultados muy rápidos. No podemos aconsejar ningún remedio en concreto porque dependerá de cada uno de nosotros según nuestras particularidades; y quien debe decidir el tratamiento homeopático a seguir es un médico especializado.

EL REUMA Y LA ALIMENTACIÓN

En esta estación, no podemos olvidarnos de los pacientes que acuden con problemas artrósicos, con dolor en las articulaciones por el «reuma» que dicen que padecen y porque, en las postrimerías del otoño y el inicio del invierno, su dolor se reactiva; dicen: «Parecemos el hombre del tiempo». O ¿quién no ha escuchado alguna vez en su vida a alguien con «juventud acumulada» (la primera vez que escuchamos esta frase fue en el convento de Torrent, en Valencia, al referirse a personas de más de sesenta años; y es una expresión que nos encanta) quejarse de su rodilla y decir que mañana hará frío o lloverá?

Pues esta es una de las consultas más frecuentes. Personas que padecen además problemas de espalda, contracturas permanentes o muy frecuentes, lumbalgias, ciáticas, hernias de disco, y un sinfín de dolencias relacionadas con el sistema músculo-esquelético. Nos vamos a centrar en aquellos pacientes que sufren de artrosis, que al fin y al cabo, son las visitas más numerosas.

La artrosis, en líneas generales, consiste en un desgaste del cartílago de la articulación. El cartílago es una sustancia que actúa como un amortiguador y hace que los huesos no se toquen entre sí. Pero su desgaste o rotura provoca dolor e hinchazón en la zona afectada. Puede aparecer en cualquier parte del cuerpo, pero las articulaciones más afectadas suelen ser las cervicales, las lumbares, las rodillas, caderas, pies y manos. Hemos de entender que después de tantos años moviendo las articulaciones, pero también en función de nuestra genética y del trato que le hemos dado a nuestro cuerpo, más tarde o más temprano la artrosis aparecerá en nuestra vida.

Los pacientes suelen venir desesperados porque el dolor no remite a pesar del tratamiento prescrito a base de analgésicos y antiinflamatorios.

Está claro que la medicina preventiva estacional poco puede hacer por estas personas, dado que su enfermedad se ha ido gestando a lo largo de los años. Un caso aparte es el de los grandes deportistas, aquellos que han realizado un deporte extremo y en superficies duras, que empiezan a padecer de artrosis a edades más tempranas, a lo que se añade que han llevado una nutrición rica en proteínas para mejorar su masa muscular, como carnes, pescados, huevos, quesos, sal, té y café, y esta dieta ha acidificado su cuerpo, generando una serie de sustancias tóxicas y radicales libres que han ido atacando sus articulaciones dañándolas antes de tiempo. Pero también quienes no practican ejercicio de forma habitual, tarde o temprano, padecerán algún tipo de dolor articular. Por este motivo, la alimentación, una vez más, será nuestra gran aliada para combatir el dolor de la artrosis, si somos capaces de contrarrestar esta acidificación. Hemos de seguir una dieta alcalinizante que neutralice el exceso de ácidos (*véase la dieta indicada para el cansancio crónico*).

Es imprescindible seguir una dieta rica y equilibrada compuesta por cereales integrales, legumbres, proteínas vegetales, pescado, verduras (ortiga, col, brécol, germinados de alfalfa, cola de caballo...), hortalizas, verdura lactofermentada o pickles, semillas (especialmente de sésamo) y algas. Y, en contra de lo que se cree, hay que evitar la carne, el azúcar y los lácteos de origen animal que roban el calcio de los huesos y se acumula en los tejidos blandos, produciendo dolor, entre otros síntomas.

Es importante asimismo evitar el consumo de: alcohol, tabaco, café y refrescos, así como disminuir el consumo de verduras solanáceas, como son el tomate, el pimiento, la patata y la berenjena. Y es aconsejable reducir el consumo de sal. Como no menos importante es hacer un ejercicio suave, como caminar al aire libre; según el dolor, al menos media hora cada día.

Esta alimentación la complementamos con suplementos nutricionales. Los que más utilizamos son la glucosamina y el condroitín sulfato, que, tomados de forma regular, mejorarán el estado de nuestras articulaciones y, en muchos casos, la infla-

mación y el dolor podrían llegar a desaparecer. El Artivita, de los laboratorios Vitae, funciona muy bien como punto de partida para quienes padezcan de artrosis mientras no acudan a consultar con su médico especializado en medicina ortomolecular –como siempre aconsejamos–. Todos sabemos que este deterioro de las articulaciones no tiene marcha atrás; no podemos decirle a una persona que padece artrosis que se puede curar, pero sí podemos conseguir que los síntomas que le acompañan, como son el dolor y la inflamación, desaparezcan y evitar su evolución, para que pueda llevar una vida, eso sí, normal, sin excesos en lo físico ni tampoco en la alimentación.

Y a todos ellos, una de las terapias que siempre aconsejamos es la hipertermia profunda. Este tratamiento consiste en un masaje especial con electrodos que produce un aumento de temperatura en la zona que tratamos (nada que ver con el calor), mejorando la vascularización de la zona afectada, algo que también beneficiará al propio cartílago, ya que conseguimos activar las sustancias naturales de nuestro organismo que modulan la inflamación. Al cabo de varias sesiones, desaparecerán la inflamación y el dolor. Después proponemos seguir con un plan preventivo para mantener lo mejor posible las articulaciones y que estas no se vuelvan a «quejar».

LA ESTACIÓN DE LA GRIPE

Otra compañera de viaje que asoma la cabeza cada invierno es la GRIPE, que tantos trastornos provoca, sobre todo por el absentismo laboral y escolar. En personas con enfermedades crónicas de las vías respiratorias o con problemas cardíacos, podría ser mucho más peligrosa.

Ya en el otoño, como preventivo, recomendamos empezar a tomar Influenzynum, Thymuline, Serum yersin y Oscillococcinum a fin de evitar la gripe, y en caso de contraerla, sus síntomas serán mucho más livianos. Por ello, con la entrada del frío, que vamos observando que varía cada año a causa del cambio climático –cambio que muchos aún tienen la desfachatez de negar–, recomendamos acudir a nuestro médico homeópata para que nos ayude a realizar un buen tratamiento preventivo, que seguro nos ayudará a pasar mejor el invierno y probablemente a esquivar la gripe.

Si aun así no conseguimos evitarla y empezamos a tener síntomas, aumentaríamos a una dosis de Oscillococcinum cada día y, en función de los síntomas, introduciríamos los medicamentos homeopáticos oportunos, si bien es cierto que Eupatorium Perfolatum 5 ch, Camphora 5 ch, Dulcamara 5 ch, Gelsenium 5 ch y Allium Cepa 5 ch son de los más recetados para personas que padecen gripe, con muy buenos resultados. Pero ello dependerá del criterio del médico homeópata.

En cuanto a la alimentación, aconsejamos seguir las mismas recomendaciones que hemos dado para los resfriados en otoño.

MEDICINA ALTERNATIVA

En nuestro día a día como médicos, recibimos a todo tipo de personas, unas con enfermedades leves, otras con dolencias más graves, como es el caso de aquellos que padecen enfermedades oncológicas.

¿La medicina alternativa puede ayudarnos con el cáncer? La respuesta es clara y franca: «Sí, puede».

Nos ayuda a mejorar nuestro sistema inmunológico y estar así en mejores condiciones para afrontar la enfermedad; nos ayuda a eliminar los radicales libres y la toxicidad que genera el cáncer y la quimioterapia. Aquí el cambio en nuestros hábitos de alimentación es imperativo. En España, en general, la oncología no ofrece a los pacientes directrices en sus hábitos dietéticos como en otros países.

Testimonio de Rosa

Nosotros hemos podido constatar los beneficios de la alimentación en aquellos pacientes que son capaces de realizar dichos cambios. Por este motivo, hemos contactado por correo electrónico con dos de ellos, y se han prestado a dar su testimonio y contarnos su experiencia. Creemos que no hay nada más ilustrativo que su enseñanza a través de las páginas que siguen, de forma que hemos transcrito fielmente el correo de uno de ellos, una mujer llamada Rosa. Este es su testimonio:

En alguna parte he leído que las crisis son las que hacen que se produzcan grandes cambios. Si revisamos la gran historia de la humanidad, veremos que hay infinidad de ejemplos. Pero yo creo que esto no solo ocurre a nivel de colectivos, sino también a nivel individual, ya que cuando nos enfrentamos a algo realmente grave o importante, nos vemos abocados a buscar salidas que muchas veces implican cambios que de otro modo, probablemente, no hubiéramos ni siquiera pensado, y mucho menos abordado.

Pues bien, de aquí parte mi historia: de una situación de crisis extrema a la que tuve que enfrentarme con coraje, decisión y valentía.

En octubre de 2010, después de un par de meses de haberme detectado un bulto en el pecho izquierdo, que en principio me habían dicho que era un bulto de grasa, me comunicaron que tenía un carcinoma de mama, dando también positivo a nivel axilar. Por suerte para mí, después de diez días de pruebas, descartaron la presencia de metástasis y, pese a que el tumor era de medidas considerables (5 x 6 cm), estaba localizado, por lo que el equipo de oncología decidió que, en mi caso, se aconsejaba realizar primero un tratamiento de quimioterapia para reducir el tumor y posteriormente operar para extirpar lo que quedara y limpiar la zona. De este modo tenía muchas probabilidades de salvar la mama.

En esos momentos, por mi cabeza pasaba de todo, pero pese a que había leído testimonios de personas que se curaban el cáncer con terapias alternativas –sin recurrir a la quimioterapia–, yo no tenía valor para probarlo. Lo que sí tenía decidido era anular de mi vocabulario la palabra «lucha» –completamente negativa–, sustituyéndola por «colaboración» –totalmente positiva–. Mi cuerpo había enfermado por algún motivo, y yo no iba a «luchar» contra él, sino a «colaborar» para su curación.

Así que decidí aceptar el tratamiento que proponía la medicina convencional y utilizar la medicina alternativa (aún no sabía exactamente cómo) para paliar los efectos de la quimioterapia y reforzar todo mi sistema interno a nivel físico y a nivel, digamos, espiritual, reforzar mi mente.

Por esa época yo ya llevaba algo más de un año acudiendo a la consulta de los Dres. Forés-Pérez por otros temas que ahora se me antojan insignificantes, y dio la casualidad de que, a los pocos días de recibir la mala noticia, yo ya tenía programada una visita en su consulta. Por supuesto, en esa visita nos olvidamos de todo lo demás y empezamos a encarar la nueva situación.

En esa visita el Dr. Forés me comunicó que, para él, la curación de un cáncer depende en una parte muy importante de la

alimentación. En ese momento, para mí fue la mejor noticia que me podían haber dado, ya que se presentaba ante mí la mejor herramienta para «colaborar» con mi cuerpo en su curación, y además era algo que dependía totalmente de mí. El tipo de alimentación que me propusieron se basaba en la macrobiótica o cocina energética.

A los pocos días, tuve una sesión de biorresonancia con la Dra. Pérez. En esa visita, y dada la presencia de cándidas en mi organismo, me suprimió el consumo de fruta (excepto manzana hervida con canela y limón) y todo lo que llevara levaduras en su preparación, como el pan, por ejemplo, así como el azúcar o cualquier alimento que lo contuviera; y todos los productos lácteos y sus derivados. También se me suprimió el consumo de carne, aunque en la dieta macrobiótica se puede consumir la carne de ave de corral, de crianza ecológica. En contrapartida, debía aumentar el consumo de cereales, algas y proteínas vegetales, como tofu o seitán, que prácticamente eran desconocidos para mí, y por supuesto, el de legumbres y verduras. Y el aceite, de primera prensada en frío. Y por descontado, todo integral y de procedencia ecológica.

Posteriormente, cuando tres semanas después empecé la quimioterapia, en oncología me aconsejaron suprimir el consumo de carnes rojas tres días antes y tres días después de la sesión, así como los lácteos, con lo cual yo ya empecé con un poquito de ventaja. Se presentaba ante mí todo un mundo que debía conocer y por supuesto experimentar; y un gran reto. Decidí desde el primer momento que no se trataba de una dieta más o menos duradera, sino que me lo planteé como un cambio de hábitos que debían perdurar en el

tiempo y a lo largo de toda mi vida, primero para sanar de mi enfermedad y después para conservar la salud. Lo que todavía no sabía era los beneficios que mi decisión me iba a aportar, a mí y a mi familia. Porque este es otro punto importante: mi marido y mis hijos decidieron que se adaptarían a los cambios, por lo menos en las comidas principales, que son la comida y la cena y que habitualmente, por suerte, podemos hacer diariamente en familia. Y otro punto importante: me encanta cocinar y experimentar en la cocina.

Fuimos a comprar cereales, algas, aceites de primera prensada en frío, y sal marina. Y por ahí empecé. De entrada me adapté a las prohibiciones que temporalmente tenía impuestas, y planeaba mis comidas de forma que, mientras yo comía lo correcto, hacía que para los demás no fuera un cambio tan brusco, añadiendo productos que ellos sí podían comer.

El primer cambio que noté fue naturalmente la pérdida de peso. Al principio de la enfermedad pesaba casi 77 kilos, que para mí, con 1,63 cm de estatura, representaba un sobrepeso. Antes de la primera operación llegué a los 59 kilos, y durante el tiempo que duró la quimioterapia tuvieron que adaptarme las dosis al nuevo peso que iba registrando. Ni que decir tiene que siempre se afronta mejor una operación con un peso correcto, y los médicos, si pueden elegir, lo prefieren y lo aconsejan.

El segundo cambio fue muy importante para mí porque, a día de hoy, transcurrido ya un año y medio desde que empecé la primera sesión de quimioterapia, ha supuesto un cambio radical en mi calidad de vida, porque implicó la desaparición de las migrañas. Las sufría desde los catorce años, con episodios que me producían vómitos y mareos; en realidad, no tenía nunca la cabeza clara, siempre sentía como una pesadez, una nube borrascosa en mi cabeza que a menudo me impedía pensar o actuar con claridad. Lo solucionaba a medias con ibuprofeno y, a menudo, ni el antiinflamatorio hacía efecto. Alguien me ha comentado que no me haga ilusiones, que la cortisona que te administran en la quimioterapia tiene esos efectos en personas que padecen migraña. Pero en este momento, en que supero ya el año desde la última quimioterapia, creo que puedo asegurar que en mi caso se debe a la alimentación, porque mi hija también las padecía, y desde que hemos cambiado los hábitos alimentarios, a ella también le han desaparecido y estamos encantadas.

Ni que decir tiene que también conseguí minimizar bastante los efectos secundarios de la quimioterapia; por supuesto, también con la ayuda de la medicina alternativa. En los días en que me tocaba sesión y en los inmediatamente siguientes bebía muchísima agua y comía lo más ligero posible, pero siempre incluyendo cereales, ya que me aportaban muchísima fuerza y energía. Ello me ayudaba a eliminar más rápidamente los residuos del medicamento y, por consiguiente, a encontrarme mejor. Nunca tuve náuseas ni vómitos, solo cierto cansancio y dolor muscular los tres o cuatro días posteriores al tratamiento; y me apa-

recieron llagas en la boca, con lo cual el cereal, suave y dulce, así como las cremas de verduras, me ayudaron muchísimo. Además, mi estado de ánimo estaba calmado y sereno y, por tanto, mi cuerpo podía dedicarse a sanar.

Otro efecto, y en el caso de mi enfermedad el más importante de todos, fue que cuando terminé la quimioterapia en el mes de abril de 2011 y me hicieron las pruebas para la operación, entre ellas una nueva resonancia magnética, esta salió completamente negativa. El cirujano que me operó me dijo que con ese resultado nunca hubieran diagnosticado enfermedad alguna y que, evidentemente, la quimioterapia en mi caso había dado unos resultados excelentes. Yo estoy convencida de que el tratamiento convencional hizo su labor, pero también lo estoy de que si llegué a la excelencia en el resultado final fue gracias a la ayuda que yo presté a mi organismo con mi cambio de alimentación, la ayuda de la medicina alternativa y mi actitud física y mental.

Esto, no obstante, tuvo una parte negativa, ya que al operarme y hacer la biopsia del tejido, comprobaron que los márgenes no estaban completamente limpios, por lo que un mes después tuve que someterme a una segunda operación, en la que limpiaron una zona mayor, momento que aprovecharon también para hacerme una reducción de la mama sana para que no me viera descompensada. Pero finalmente aquí acabó todo y he conservado la mama, un par de tallas más pequeñas, pero para mí suficientes.

Quiero señalar que, en la explicación de este pasaje de mi vida, he resumido al máximo los detalles médicos de mi enfermedad, ya que me he enfocado en mi relación de esta con la alimentación, que es, en definitiva, de lo que trata el libro donde se incluirá mi texto.

Debo añadir además, para ser completamente sincera, que en la actualidad mi dieta y la de mi familia ya no es estrictamente macrobiótica, porque creo que en nuestro clima mediterráneo tenemos una de las mejores alimentaciones del mundo y cojo lo mejor de las dos. Ahora bien, he eliminado completamente la carne y los lácteos; comemos pescado (siempre que no sea de piscifactoría) dos o tres veces por semana. Me he acostumbrado a no usar prácticamente el azúcar, que he sustituido por melazas, y si alguna vez lo utilizo, es moreno de caña y ecológico. Tampoco faltan en nuestra alimentación los cereales, las legumbres y las algas. Y, por supuesto, sigo probando e investigando cada día en la cocina.

Por mi experiencia, y seguro que digo algo que ya se ha dicho, estoy convencida de que las dietas no funcionan; que lo que funciona es tomar conciencia de un modo de vida y unos hábitos saludables y aplicarlos en tu propia vida. Comer saludablemente, con alimentos que te aporten energía, y procurando hacer un poco de ejercicio con regularidad, aunque solo sea andar; es la base para tener un cuerpo y una mente sanas. La salud es lo principal en la vida. Estar sano nos da la vitalidad, el coraje, la fuerza y nos mantiene la mente serena y tranquila para superar todo aquello que se nos presente en la vida.

Quiero agradecer el gran apoyo de mi familia, mi marido y mis hijos, que desde el primer momento accedieron a acompañarme en estos cambios de hábitos, sin olvidar los excelentes productos ecológicos que cultiva mi padre para todos nosotros. Y ahora, hasta mi madre ha cambiado algunas cosillas en su alimentación.

No puedo acabar este escrito sin agradecer al excelente equipo de mama, de oncología y del hospital de día, así como a la enfermería de curas postoperatorias de Althaia de Manresa –la cual, según tengo entendido, es una de las mejores de este país– la gran labor que están realizando pese a los difíciles momentos que estamos atravesando. No los nombro uno a uno, pero ellos y ellas ya saben quiénes son. Su calidad humana me dejó gratamente sorprendida y lo agradezco de corazón.

Y por supuesto, a los Dres. Forés-Pérez, que me han llevado en esta cura alternativa y que ahora me dan la oportunidad de explicar mi experiencia, para que mi humilde ejemplo pueda servir de ayuda a otras muchas personas que pueden estar indecisas o simplemente que no saben cómo empezar.

Después de su magnífico testimonio, Rosa, que cada día nos regala una sonrisa entusiasta, también nos envió algunas de sus recetas, y queremos incluirlas en su testimonio por lo ricas que son y porque nos hace mucha ilusión compartirlas con todos vosotros.

CANELONES DE COL

Ingredientes

| 1 col pequeña
| 4 zanahorias grandes
| 6 champiñones, o bien gírgolas o shiitake. También puede ser una mezcla de las tres
| 1 cebolla grande
| 5 dientes de ajo
| Perejil
| Tamari
| 4 cp de alga dulse (más o menos, una por persona)
| 1 caja de pasta para canelones (unos 20)
| 2 cs de harina integral
| 1 cs de maicena
| Nuez moscada
| Aceite de oliva
| Sal
| 1 litro de leche de avena
| Almendras trituradas
| Vino blanco ecológico (opcional)

Elaboración

1 Poner el alga dulse bien picadita en remojo.

2 Lavar las hojas de la col, las zanahorias y las setas. Picarlo todo bien en la picadora: primero la col, la zanahoria y las setas. Picar bien pequeña la cebolla y los dientes de ajo.

3 En una sartén, poner un poco de aceite y pochar la cebolla y los ajos. Incorporar la col, la zanahoria y las setas. Rehogarlo todo junto unos minutos y añadir un vaso de agua para que cueza todo hasta que esta se reduzca por completo. Opcionalmente podemos poner un chorrito de vino blanco ecológico, lo cual le da un toque especial. Añadir un poco de sal. Cuando falte poco para la total reducción del líquido, añadir el alga dulse y una cucharada sopera de perejil picado. Cuando ya esté listo, retiramos del fuego y añadimos dos cucharadas soperas de salsa de soja o tamari y mezclamos todo bien. Reservamos.

4 Aparte preparamos la salsa bechamel, poniendo dos cucharadas soperas de aceite de oliva, mezclando bien con unas varillas la harina y la maicena. Añadir 1/2 litro de leche de avena, una cucharadita de nuez moscada y sal. Ir removiendo hasta obtener la consistencia deseada añadiendo más leche si es necesario.

5 Preparar la pasta para los canelones. Una vez a punto, en una bandeja para el horno, poner una base fina de bechamel en el fondo e ir colocando los canelones que iremos rellenando con la verdura. Finalmente, verter la salsa bechamel por encima y espolvorear con polvo de almendra o queso rallado para los que estén en una dieta intermedia o de transición. También resultan estupendos sin poner nada, solo con la bechamel y, si nos ha sobrado relleno, espolvoreándolo por encima.

6 Gratinar unos minutos al horno. Y ya están a punto para servir.

- También se pueden preparar tipo lasaña, intercalando capas de pasta, relleno de verdura y bechamel.

HAMBURGUESA DE GARBANZOS

Ingredientes

| 1/2 kg de garbanzos previamente cocidos y triturados con la batidora
| 1 calabacín
| 1 zanahoria
| 1 cebolla
| 1 diente de ajo
| 2 cucharaditas de alga dulse
| Una pizca de comino
| 1 cp de perejil
| Salsa de soja
| Harina integral
| Aceite de oliva o de sésamo para freír
| Sal marina

Elaboración

1 Poner previamente en remojo el alga dulse bien picada.

2 Rallar finamente el calabacín, la cebolla y la zanahoria. Picar finamente el ajo.

3 Añadir a la pasta de garbanzos el calabacín, la cebolla, la zanahoria y el ajo, así como el alga dulse previamente remojada, el perejil y la pizca de comino. Remover bien, añadiendo dos cucharadas soperas de salsa de soja o sal marina al gusto. Si nos hiciera falta podemos poner una pizca de pan rallado integral para compactar la masa, pero mejor evitarlo. En todo caso, también podemos añadir un poco más de pasta de garbanzo.

4 Poner la pasta resultante en la nevera como mínimo media hora.

5 Calentar el aceite para freír. Hacer bolas con la masa, rebozarlas en la harina integral, aplanarlas un poco para que queden de un centímetro de grosor más o menos (quedan mejor si no son muy grandes, de unos 5 cm de diámetro) y freírlas.

6 Al sacarlas de la sartén, dejarlas escurrir en papel absorbente de cocina unos instantes antes de servirlas.

Como veis, la aportación de Rosa nos ha sido muy valiosa.

Testimonio de Isaac

Otro testimonio que os queremos ofrecer es el de Isaac, un amigo de Madrid que padeció un cáncer de pulmón y que se ofreció a explicarnos su experiencia por correo electrónico:

Hace ya trece años que María y Jordi me explicaron cómo alimentarse para llevar una vida saludable. A pesar de que introduje algunos cambios en mi alimentación y comprobé lo beneficiosos que habían sido para mi organismo, no pude seguir adelante por lo complejo que en ese momento me parecía, y también porque no podía renunciar a los grandiosos hábitos, olores y sabores de toda la vida. Grave error, no ser consciente y elegir lo menos beneficioso.

En fin...

Hace cuatro años, sin embargo, puse toda mi confianza en ellos, y me guiaron con mucho acierto en el tipo de nutrición y otras necesidades fundamentales; las necesitaba para enfrentarme a una enfermedad que ya había comenzado a mostrarme sus despiadados efectos. Así fue como empezó esta lucha, siete meses después, cuando se descubrió el mal con los aparatos modernos del hospital. Era un señor cáncer de pulmón, con toda probabilidad, consecuencia del consumo de tabaco. Poco se puede hablar después de recibir una noticia como esta; solo levantar los hombros y dejar la mirada perdida por unos instantes, lo demás prefiero no recordarlo. Bien, mi primer deseo después

del diagnóstico fue comenzar lo antes posible el protocolo sanitario, buscar la gran oportunidad y olvidarme de tener miedo a la muerte.

El tratamiento que ellos me aconsejaron está funcionando muy bien, de forma que puedo decir que es un gran éxito. Desde que comencé la quimioterapia y la radioterapia, estaba temeroso por los efectos secundarios que ya me habían anticipado y que, finalmente, no hicieron su aparición gracias a la medicina administrada en conjunto por los Dres. Forés-Pérez. Pasado este protocolo, unos meses después, tenía que enfrentarme a una agresiva operación en la que los cirujanos reconocían varias dificultades. Más sustos, pero, en ese instante, me daba igual, y no perdí la confianza en recuperarme. Lo último que recuerdo antes de ver al señor anestesista es que le comenté que tapasen el aire acondicionado porque se veía un poco sucio y que, claro, al abrirme podía entrar el polvo; y también que si no había una mesa más ancha para apoyar los brazos. Y se acabó.

Para que me entendáis, tenía el tumor rodeando a la arteria y pegado a la columna vertebral, y era relativamente grande, con lo que el riesgo al operar era considerable y el miedo a las secuelas también. Antes de nada, empecé con el tratamiento de los Dres. Forés-Pérez, haciendo mucho hincapié en todo lo referente a la alimen-

Alimentos para el invierno

Como el clima es más frío, necesitamos comer de manera que obtengamos más calor interior.

- HORTALIZAS Y VERDURAS VERDES diariamente: **Aguacate, brécol, cardo, col lombarda, col verde, col de Bruselas, col romesco, coles, grelos, hinojo, lechuga, brócoli, bróquil, alcachofa, acelga, berros, escarola, apio, espinaca, puerro, tirabeques, canónigos, coliflor, endivia.**

- VERDURAS DE RAÍZ Y REDONDAS: **Nabo, calabaza, boniato, chirivía, salsifí, cebolla, zanahoria, remolacha.**

- PLANTAS SILVESTRES: **Artemisa, ortiga, lino, tilo, bardana, albahaca, consuelda, malvavisco, manzanilla, enebro, canela, amapola, jengibre, regaliz y zarzaparrilla; clavo, mejorana, mostaza, guindilla, cola de caballo, romero, azafrán, ajedrea, salvia, tomillo, vainilla, pimentón.**

- CEREALES: **El mijo y el trigo sarraceno** son buenos para calentar el organismo, **arroz integral de grano corto, avena...**

- PROTEÍNAS: En esta estación aumentar el consumo de LEGUMBRES como la **judía roja azuki, las judías mung, las judías negras o las lentejas, TOFU, TEMPEH, PESCADO pequeño, crustáceos.**

- ALGAS: **Kelp, dulse, nori, hiziki, espagueti de mar.**

- FRUTA: **Caqui, granada, kiwi, lichis, mandarina, manzanas ácidas, membrillo, naranja, peras pequeñas, piña, pomelo.** (Comer muy poca y cocida en compotas o al vapor.)

- Postres DE FRUTOS SECOS, o semillas de sésamo...

- ACEITE: Aumentaremos un poco la cantidad de aceite en las cocciones.

- SOPAS y CALDOS con algas.

- MÁS SAL Y CONDIMENTOS SALADOS. El cloruro sódico es una de las sales corporales básicas, pues ayuda a la distribución del agua por todo el cuerpo. Se le da el nombre de «sal eléctrica», ya que refuerza la circulación de la corriente de la vida. Se debe tomar con moderación. Otros condimentos salados son el **gomasio** (semillas de sésamo tostadas y sal marina), **el tamari** y **el miso.**

- FUEGO: **Llama baja,** con poco movimiento.

- ESTILOS DE COCCIÓN: **Estofado largo, presión, horno, salteado largo, hervidos, nishime, kimpira, fritos, pickles largos.**

Crema de miso al aroma de ajo y almendra

Recetas
de invierno

1. Crema de miso al aroma de ajo y almendra

(Invierno y el resto del año)

Ingredientes para 4 personas

| 3 dientes de ajo
| 60 g de almendra laminada
| 1 cs de aceite de maíz
| 4 tazones de **sopa de miso:** 1 cebolla cortada fina, 1 zanahoria en medias rodajas, 1 hoja de col cortada bien fina, 5 cm de alga wakame remojada 10 minutos y cortada a trocitos, 1 litro de agua mineral, 1 cucharada de aceite de sésamo o de oliva de primera presión en frío, 1/2 cucharadita de postre rasa por bol de sopa de mugi miso (miso de cebada no pasteurizado), jengibre fresco rallado, perejil fresco picado

Elaboración

1 Hacer la sopa de miso y triturarla con el brazo eléctrico o pasarla por el pasapuré para que quede ligeramente espesa.

2 Tostar en una sartén, sin aceite, las láminas de almendra hasta que empiecen a tomar color uniformemente.

3 Pelar y cortar los dientes de ajo en láminas muy finas.

Coca de mijo con cebolla confitada y sardinas o tempeh

Elaboración

1 Saltear las dos cebollas cortadas a cuadraditos con un poco de aceite de oliva y una pizca de sal marina durante 10 minutos o hasta que estén pochadas.

2 Añadir el laurel, el mijo ya tostado ligeramente y 3 tazas de agua. Tapar, llevar a ebullición y entonces bajar el fuego a medio-bajo y cocer con difusor durante 25 minutos.

3 Colocar la masa de mijo resultante sobre el mármol untado de aceite y dividirla en cuatro porciones. Estirar las porciones de mijo con un rodillo o con los dedos, darles forma de coca ovalada y traspasarlas a una bandeja para hornear.

4 En un cazo, cocer lentamente las cebollas cortadas en juliana y la piel de limón con 4 cs de aceite hasta que estén bien confitadas. Colar el conjunto del aceite y reservar ambos por separado.

5 Añadir y repartir la salsa de remolacha a lo largo de cada base de coca y por encima distribuir la cebolla confitada.

6 Hornear a 160º C hasta que los bordes de la base de mijo se doren. A media cocción añadir unas pocas alcaparras y los filetes de sardina o el tempeh. Rociar con unas gotas de aceite de oliva y hornear 5 minutos más.

7 Decorar con perejil picado.

Efecto

Da fuerza digestiva, aumenta la concentración y mejora el sistema inmune. Conviene a las personas con diabetes.

La diferencia con la coca de primavera es que aquí el mijo está tostado, siendo su efecto más caliente y profundo, y además no lleva tomate, sino salsa de remolacha.

Podemos añadir cualquier verdura de la temporada, y la podemos presentar en forma redonda, como si fuera una pizza.

Se dice que el mijo «aprieta las carnes», con lo que es estupendo para combatir el sobrepeso. Ayuda a mejorar la concentración, dando fortaleza mental, y es excelente para el sistema nervioso. Asimismo, alcaliniza la sangre.

6. Gratín de trigo sarraceno con tofu, verduras y orégano

(Invierno/otoño)

Ingredientes para 4 personas

- 4 alcachofas en láminas o en cuartos y cocidas al vapor
- 8 rodajas finas de calabaza y cocidas al vapor
- 1 taza de trigo sarraceno crudo (150 g)
- 1 paquete de tofu ahumado cortado en lonchas
- 1 cs de orégano
- Sal marina
- Aceite de oliva
- Perejil cortado fino

Elaboración

1 Lavar ligeramente el trigo sarraceno y tostarlo en una cazuela sin aceite durante unos minutos, hasta que los granos estén secos y separados.

2 Añadir 3 partes de agua o caldo de verdura con un poco de sal marina, un diente de ajo y 1 cs de orégano en una cazuela y hervir a fuego lento con tapa durante 25 minutos.

3 Hacer ligeramente a la plancha las rodajas de calabaza con unas gotas de aceite de oliva y dejarlas escurrir sobre papel absorbente. A continuación freír las alcachofas y las lonchas de tofu en el mismo aceite y dejarlas escurrir.

4 Colocar el trigo sarraceno en un plato y poner encima las rodajas de calabaza, el tofu y las alcachofas; espolvorear con el perejil picado.

Efecto

Es un plato que nos da mucha energía y calor interior. Aumenta la libido y la vitalidad en general. Combate el cansancio de piernas. Excelente para los días fríos o para personas con frío interno.

Notas de presentación

Se puede poner al horno con la almendra molida y gratinar; o mezclar con las verduras y el tofu a cuadraditos y hacer hamburguesas; pasarlas por la sartén. Acompañar

Gratín de trigo sarraceno con tofu, verduras y orégano

con una mermelada de zanahoria y unas hojas de rúcula o berros.

7. Albóndigas de tofu y atún con chipirones (opcional) y picada de romesco

(Invierno / otoño)

Ingredientes para 4 personas

- 2 cebollas cortadas finas a cuadraditos, salteadas con un poco de aceite
- 1/2 taza de perejil picado fino
- 1/2 taza de alcaparras
- 1 bloque de tofu fresco
- 250 g de calamarcitos (opcional)
- 1 lata pequeña de atún al natural escurrida
- Pan rallado
- 1 cs de salsa de soja
- 1 cs de jugo concentrado de manzana
- Aceite para freír
- Harina blanca
- Sal marina
- **Picada de romesco:** 2 dientes de ajo, 2 ñoras, 1 tomate maduro, 20 almendras, 20 avellanas, perejil

Elaboración

1 Hervir el tofu fresco durante 10 minutos en agua con una pizca de sal. Escurrir.

2 En un bol o en el suribachi, mezclar el atún, el bloque de tofu bien desmenuzado, 1 cs de cebolla salteada, el perejil, las alcaparras picadas y, si es preciso, pan rallado para mezclar la masa y así poder formar las albóndigas. Si fuese necesario, añadir una tacita de leche de arroz y tritu-

rar con el brazo eléctrico para suavizar la textura.

3 Calentar el aceite sin que llegue a humear, rebozar cada albóndiga con un poco de harina blanca y freírlas hasta que su color cambie a marrón dorado (2-3 minutos, aproximadamente). Sacar y escurrir en papel absorbente.

4 En otra cazuela, poner el resto de la cebolla, dos tazas de agua y la picada de romesco. Dejar hervir hasta que tome consistencia de salsa, a la vez que ponemos las albóndigas para que se cuezan durante 10 minutos.

5 Saltear los calamarcitos en una sartén con un poco de aceite hasta que tomen un poco de color.

6 Añadir los calamarcitos a la salsa y decorar con perejil fresco; servir caliente.

Preparación de la picada de romesco

1 Poner las ñoras en remojo durante dos horas y raspar la pulpa.

2 Brasear en el horno o en el difusor los dientes de ajo y el tomate; cuando estén cocidos, pelarlos y triturarlos junto con un diente de ajo crudo, la pulpa de las dos ñoras, las almendras y las avellanas.

Efecto

Es un plato muy nutritivo y sabroso.

Notas de presentación

A la salsa se le pueden añadir guisantes frescos en primavera o congelados o en conserva en cualquier otra estación.

Es un plato excelente para ir introduciendo proteínas nuevas, de fácil asimilación.

Podemos sustituir los chipirones por gambas o bien evitar cualquier tipo de pescado.

Albóndigas de tofu y atún con chipirones (opcional) y picada de romesco

Acompañar de chucrut, como en este caso, o también de nabo rallado, rabanito rallado, berros o rúcula, que ayudarán a la digestión de las grasas.

8. Libritos de seitán con calabaza asada y paté de aceitunas
(Invierno / otoño)

Ingredientes

- 1 trozo de calabaza asada al horno
- 1 paquete de seitán
- **Paté de aceitunas:** 100 g de aceitunas negras, 2 cs de aceite de oliva, hojas de tomillo
- Aceite de oliva
- Pimienta molida
- **Rebozado:** Harina semiintegral o de espelta, agua con gas, sal marina, una pizca de cúrcuma, pan rallado

Libritos de seitán con calabaza asada y paté de aceitunas

Guarnición: Berros frescos, rúcula, rabanitos

Aliño: Agua, 1 cucharada de mostaza, 1 cucharada de aceite de oliva, 1 cucharada de vinagre de umeboshi, 2 cucharadas de miso blanco

Elaboración

1 Cortar 1 rodaja gruesa de calabaza, untar con una pizca de sal y aceite y hornear durante 50 minutos.

2 Cortar el seitán en lonchas gruesas y abrirlas por la mitad, pero no totalmente, para poder hacer los libritos.

3 Triturar los ingredientes del paté de aceitunas negras hasta que tenga una textura uniforme.

4 Trocear la calabaza en lonchas finas y sazonarla con pimienta molida; después rellenar los libritos. Acabar el relleno con media cucharadita de paté de aceitunas negras.

5 En un bol, mezclar la harina, el agua con gas, la sal marina y la cúrcuma; poner en la nevera un rato hasta que se enfríe. Procurar que tenga una consistencia más bien espesa. En otro plato, colocar el pan rallado.

6 Calentar abundante aceite para freír. Sumergir cada librito en la mezcla y rebozar con el pan rallado.

7 Freír por los dos lados hasta que queden crujientes. Escurrir sobre un papel absorbente.

8 Servir acompañados con la guarnición de berros, pickles o rabanitos. Presentar el aliño en un recipiente aparte.

Efecto

Debido a que es un alimento frito, baja su poder nutritivo, pero es excelente en días de fiesta o para ir introduciendo las proteínas vegetales. Se necesita tener buena fuerza digestiva.

La calabaza aporta energía al cuerpo y a la digestión; y es relajante.

Los libritos se pueden rellenar de tofu o tempeh, o de cualquier otra verdura.

9. Seitán con nabos y chirivías caramelizados

(Invierno/otoño)

Ingredientes para 4 personas

3 nabos pequeños torneados o cortados al método rodado y cocidos al vapor

3 chirivías cortadas al método rodado o torneadas y hervidas al vapor

2 paquetes de seitán cortados en tacos grandes

Seitán con nabos y chirivías caramelizados

Compota de manzana

Recetas de caprichos dulces

1. Compota de manzana

Ingredientes
| 1 kg de manzanas peladas y a trozos
| 1/2 taza de pasas (opcional)
| 1 rama de canela
| Ralladura de 1 limón
| 1 taza de agua
| Sal marina

Elaboración

1 Añadir la manzana y el resto de ingredientes en una cazuela de fondo grueso y cocer en el agua a fuego bajo durante 15-20 minutos.

2 Si se quiere, añadir endulzante (melaza de cebada y maíz).

3 Servir caliente en el invierno o fresca en el verano, con almendras o avellanas tostadas como decoración.

• Para conservar el color de las manzanas, es mejor cortarlas en el momento de la cocción o utilizar unas gotas de zumo de limón.

2. Buñuelos de manzana

Ingredientes para 4 personas

- 4 manzanas cortadas en gajos y rociadas con zumo de limón
- Aceite para freír
- Canela en polvo
- Gajos de limón
- **Rebozado:** 1/2 vaso de bebida de arroz, 1/2 vaso de harina blanca, 1 cs de maicena, 1 cc de cúrcuma, una pizca de sal marina, 1/2 cp de anís en grano molido en el mortero o molinillo, 2 cs de melaza

Elaboración

1 Preparar la pasta para el rebozado, mezclando todos los ingredientes en un bol hasta conseguir una pasta espesa. Guardarla en la nevera durante 30 minutos.

2 Calentar el aceite. Pasar los gajos de manzana por la pasta del rebozado y freírlos hasta que queden dorados y crujientes. Colocarlos sobre papel absorbente.

3 Espolvorear por encima con la canela en polvo y acompañar con los gajos de limón.

Nota

Es un postre delicioso, aunque para que quede crujiente se ha de preparar un momento antes de consumir. Si no se puede, no poner la canela y darle un golpe de horno hasta que esté de nuevo caliente; entonces añadir la canela en polvo.

Buñuelos de manzana

3. Donuts de manzana con crema de algarroba

Ingredientes para 2-4 personas

- 2 manzanas dulces peladas enteras, descorazonadas y cortadas en rodajas de 2 cm cada una
- Crema de algarroba y avellanas
- Aceite
- Sal marina

Elaboración

1 Hacer a la plancha las rodajas de manzana con una pizca de sal marina hasta que estén doradas.

2 Diluir la crema de algarroba en un cazo con agua caliente y rociar las rodajas de manzana.

Nota

Es un plato delicioso, rápido de hacer, estupendo para merendar.

Gelatina de frutas

3 Desmoldar y acompañar si se quiere con las avellanas tostadas troceadas.

Preparación de la gelatina

1 Poner a cocer todos los ingredientes de la gelatina hasta que los copos de agar-agar se disuelvan totalmente. Para comprobar que hemos añadido la cantidad suficiente de agar-agar, colocaremos en un platito unas gotas de la gelatina y, si al ratito se ha solidificado, es suficiente; si aún queda ligera y se escurre al mover el plato, añadiremos un poco más; a esto se le llama «la prueba de la gota».

Nota

Es un postre muy refrescante y vistoso, excelente para los días calurosos, y podemos dejarlo hecho con antelación.

4. Gelatina de frutas

Ingredientes para 6 personas

| Frutas frescas variadas de diferentes colores (fresas, melocotón, plátano, kiwi, pera, melón, arándanos...)
| Almendras tostadas troceadas
| **Gelatina:** 2 tazas de agua o zumo de manzana, una pizca de sal marina, 4 cs de endulzante natural (stevia, sirope de ágave, melaza), 3 cs de jugo concentrado de manzana, 1 cs de ralladura de limón, 4 cs de copos de agar-agar o agar-agar en polvo

Elaboración

1 Disponer en un molde de cristal la fruta fresca troceada de un tamaño similar.

2 Verter la gelatina encima de la fruta y dejar enfriar en la nevera hasta que esté compacta.

5. Natillas

Ingredientes

| 1 litro de bebida de arroz
| 4 cs de melaza
| 2 cs de maicena
| 1 cs de kuzu
| 1 cs de ralladura de limón
| Canela en rama o vainilla en rama abierta longitudinalmente
| Sal marina
| Cúrcuma

Elaboración

1 Calentar la bebida de arroz con todos los ingredientes menos los espesantes: la maicena y el kuzu.

2 Diluir la maicena en agua fría y añadir a la leche. Hervir durante 2-3

Natillas

minutos moviendo constantemente con la espátula.

3 Diluir el kuzu en agua fría y añadir; cocer un poco moviéndolo continuamente con la espátula hasta que espese, sin que llegue a hervir.

4 Servir en recipientes y dejar enfriar.

Nota

Es un clásico postre dulce, relajante, adaptado para aquellos que son intolerantes a la lactosa, al huevo o al azúcar e igual de rico; excelente para tomar en cualquier ocasión. ¡Sorprende!

6. Fresas con amasake

Ingredientes

| 1/2 kg de fresas biológicas
| El zumo de 1 naranja

Fresas con amasake

| 3 cs de melaza
| Sal marina
| **Crema de amasake:** 1 taza de amasake, 1 taza de agua, 3 cs de polvo de almendra, 1/2 cc de canela en polvo, 2 cs de maicena.

Elaboración

1 Lavar con cuidado las fresas y cortarlas por la mitad. Macerarlas con una pizca de sal, la melaza y el zumo de naranja.

2 Servir las fresas con la crema de amasake fría.

Preparación de la crema de amasake

1 Cocinar el amasake con el mismo volumen de agua, el polvo de almendras y la canela, hasta calentar.

2 Diluir la maicena en un poco de agua fría y añadir a la crema. Remover constantemente durante 2 minutos hasta que espese. Dejar enfriar.

Nota

El amasake sustituye a la clásica nata, siendo más digestivo y nutritivo por tratarse de un fermento. Excelente para los intolerantes a la lactosa.

7. Charlota

Ingredientes para 10-12 personas

| 1 pan de molde sin gluten
| 1 kg de manzanas dulces (peladas y cortadas a trozos)
| 2 tazas de fresas o frambuesas
| 1/3 de taza de pasas de Corinto (opcional)

Charlota

| 3 cs de piñones o almendras tostadas troceadas, o avellanas tostadas troceadas
| 1 cs de ralladura de naranja o de limón
| Sal marina
| 3 cs de copos de agar-agar
| 1 rama de canela
| Melaza o miel de arroz (endulzante natural)
| Yogur de soja de chocolate
| Yogur de soja de vainilla
| Fideos de colores y de chocolate (sin gluten)

Elaboración

1 Cocer en una cazuela de fondo grueso las manzanas con las pasas, una taza de agua, una pizca de sal y la canela durante 15 minutos. Añadir las frambuesas y cocinar 5 minutos más. Añadir los copos de agar-agar y cocer a fuego medio-bajo, sin tapa, durante 10-15 minutos o hasta que los copos se hayan disuelto completamente. Hacer la «prueba de la gota» (*véase receta de la Gelatina de frutas*). Recomendamos que la compota quede muy líquida, para que después impregne bien el pan. Añadir la ralladura de naranja y melaza al gusto (opcional).

2 Disponer en el molde elegido las rebanadas de pan y verter encima la compota de manzana y fresas y los piñones o las avellanas o almendras. Poner otra capa de pan, de nuevo la compota y los frutos secos. Cerrar colocando las rebanadas restantes encima y, a continuación, un plato encima de la tarta para presionarla ligeramente. Dejar enfriar completamente durante 2-3 horas.

3 Desmoldar y decorar con los yogures; encima del yogur de vainilla poner las virutas o fideos de chocolate, y sobre el de chocolate, los fideos de colores o coco rallado.

Nota

Es una tarta estupenda de cumpleaños o para un día de fiesta que encanta a grandes y pequeños.

8. Panellets

Ingredientes

| 3 boniatos cocidos al horno y pelados
| 1 1/2 taza de polvo de almendras
| 1 cs de ralladura de naranja

Elaboración

1 Aplastar con ayuda de un tenedor los boniatos blandos cocidos.

2 Mezclarlos con la almendra en polvo y la ralladura de naranja. Dejar enfriar un poco antes de rebozarlos con los ingredientes elegidos.

Para el rebozado de los panellets

Se pueden rebozar los panellets con distintos sabores e ingredientes, o bien incluirlos en la masa para obtener diferentes variedades.

Opciones

- Toda clase de frutos secos (almendras, avellanas, nueces, piñones...) ligeramente tostados y troceados
- Coco rallado
- Polvo de algarroba
- Café de cereales instantáneo
- Mermeladas naturales

Panellets

Estilos de cocción

BARBACOA

- **Utensilios:** Brasa.
- **Ingredientes:** Cualquier verdura, tofu, seitán, tempeh.

ESCALDADO

- **Utensilios:** Cazuela.
- **Ingredientes:** Cualquier verdura cortada fina.
- **Proceso:** Hervir agua y añadir una pizca de sal marina. Sumergir las verduras cortadas; el tiempo dependerá de cada verdura: para los berros, la lechuga y el pepino solo es necesario sumergirlos y sacarlos; los rabanitos, 10 segundos; las zanahorias o la coliflor, 15 segundos. Escurrir las verduras escaldadas, enfriarlas con agua fría o agua con hielo y servir al momento con un aliño. Tienen que quedar *al dente*.

ESTOFADO

- **Utensilios:** Cazuela de fondo grueso.
- **Ingredientes:** Cualquier tipo de verdura, preferiblemente de raíz, proteína vegetal.
- **Proceso:** Colocar en el recipiente 1 cm de agua o caldo de verduras. Añadir las verduras y una pizca de sal marina. Tapar y llevar a ebullición con llama alta. Reducir la llama

a media o baja y deja cocer el alimento lentamente. Condimentar al principio con sal o salsa de soja. También podemos sustituir el caldo por un poco de aceite; en este caso, se sofríen un poco las verduras y luego se deja cocer a fuego lento con un poco de agua o caldo.

FERMENTADO (PICKLES)

- **Utensilios:** Tarro de vidrio con tapa.
- **Ingredientes:** Cualquier clase de verdura, aunque las más comunes son las coles y las zanahorias.
- **Proceso:** Cortar las verduras en cerillas o juliana fina y llenar el tarro de cristal junto con hierbas aromáticas al gusto apretando bien las verduras y tratando de evitar huecos; añadir agua con sal (el agua debe estar bien saladita, como agua de mar) hasta el borde del tarro. Cerrarlo y guardar en la despensa o en un lugar donde no le dé la luz durante 1 semana si queremos un fermentado corto, o hasta 1 mes si es un fermentado largo. Si cuando abrimos el tarro las verduras están blandas, es que no se ha producido la fermentación adecuada por falta de suficiente sal. La verdura debe estar crujiente.

FRITO

- **Utensilios:** Sartén.
- **Ingredientes:** Cualquier verdura, fruta, alga, tofu, seitán, tempeh.
- **Proceso:** Colocar en la sartén 2 cm de aceite para freír de buena calidad. Calentar el aceite sin hervir a una temperatura de 180º C. Sumergir la verdura en la pasta del rebozado y freírla hasta

que esté dorada y crujiente. Retirarla y secarla con papel absorbente. Servir caliente con un aliño picante o ácido.

GERMINADO

- **Utensilios:** Germinador o bote de vidrio, gasa y goma.
- **Ingredientes:** Semillas de origen biológico. Pueden ser de alfalfa, puerro, judías, soja...
- **Proceso:** Colocar la semilla elegida en un bote de vidrio y cubrirla completamente de agua. Tapar con una gasa sujeta con una goma y colocar en un sitio oscuro o en la sombra. Después de 24 horas, escurrir (la gasa evita que las semillas se caigan). Volver a lavar con agua fría las semillas y escurrir, dos veces al día, para eliminar los residuos metabólicos de estas. Tardarán de 3 a 5 días en germinar; cuando la espícula tenga de 1 a 2 cm, está lista para comer, y se puede guardar en el frigorífico. Cuando la espícula sea mayor de 5 cm o empiecen a salirle hojitas, no consumir.

HERVIDO

- **Utensilios:** Cazuela.
- **Ingredientes:** Cualquier verdura y algas.
- **Proceso:** Hervir agua, lo suficiente para cubrir completamente las verduras. Añadir una pizca de sal marina y hervir por separado y sin tapa cada verdura, empezando por las de menos color y sabor. Las zanahorias cortadas en juliana, 2 minutos; las flores de brécol o coliflor, de 4 a 5 minutos; la col blanca,

de 3 a 4 minutos; las judías verdes, entre 5 y 10 minutos.

HORNO
- **Utensilios:** Horno y recipiente para hornear.
- **Ingredientes:** Cualquier verdura, fruta, tofu, seitán, tempeh.
- **Proceso:** Colocar las verduras o el alimento elegido en la bandeja para el horno, añadir una pizca de sal o salsa de soja, un fondo de agua y cubrir con papel para el horno. Hornear hasta que esté bien cocido.

KIMPIRA
- **Utensilios:** Sartén.
- **Ingredientes:** Cualquier verdura, preferentemente de raíz, algas o proteínas vegetales.
- **Proceso:** Cortar las verduras muy pequeñas en cerillas o en forma de lápiz y saltear en una sartén con una pizca de aceite y sal o salsa de soja y el alga, moviendo constantemente durante 10-20 minutos.

MACERADO
- **Utensilios:** Bol preferiblemente de cerámica o vidrio.
- **Ingredientes:** Cualquier verdura, tofu fresco, tempeh, seitán, frutas.
- **Proceso:** Para macerar verduras es conveniente cortarlas en láminas finas o trozos pequeños. Hace falta un condimento salado: sal marina, miso, pasta de umeboshi o salsa de soja. Si se desea se pueden disolver los condimentos

salados en agua y complementarlos con vinagre, ajo, hierbas aromáticas, aceite, jengibre... Guardar el líquido para aliñar ensaladas.

Al macerar, el aliño suaviza las verduras o los alimentos elegidos y ayuda a su digestión al estimular la función biliar del hígado y reforzar ligeramente la secreción de los jugos del estómago.

NISHIME
- **Utensilios:** Olla de fondo grueso con tapa.
- **Ingredientes:** Verduras de raíz o redondas (cebolla, col, zanahoria, chirivía, nabo, calabaza, boniato...), algas.
- **Proceso:** Poner en el fondo de la olla 1 tira de alga kombu previamente remojada 10 minutos y cortada en trocitos. Añadir encima las verduras cortadas al método rodado, por capas, colocando las que desprenden más agua de abajo. Añadir una pizca de sal o salsa de soja y el agua de remojo del alga de modo que cubra el fondo. Llevar a ebullición, tapar, bajar al mínimo el fuego y cocinar durante 20-40 minutos. Quitar la tapa y cocinar 2 minutos más.

PLANCHA
- **Utensilios:** Sartén.
- **Ingredientes:** Cualquier verdura, frutas, tofu, seitán, tempeh.
- **Proceso:** Con unas gotas de aceite, cocinar el alimento unos minutos por cada lado, añadiendo unas gotas de salsa de soja.

PRENSADO

- **Utensilios:** Prensador, o dos platos y un peso encima.
- **Ingredientes:** Verduras con alto contenido en agua.
- **Proceso:** Cortar las verduras muy finas y mezclarlas bien con un condimento salado como la sal marina, miso, salsa de soja o pasta de umeboshi. Luego, colocarlas en la prensa o entre dos platos con un peso encima. El condimento salado, la presión y el tiempo harán que el vegetal empiece a expeler su contenido de agua, conservando su frescura y textura crujiente. Si esto no ocurre, faltará condimento salado o más tiempo de presión. Antes de servir, escurrir las verduras prensadas, tirando el líquido obtenido. Si están muy saladas, pueden lavarse con agua fría y luego escurrirlas. Se pueden añadir algunos aliños para realzar el sabor.

PRESIÓN

- **Utensilios:** Olla a presión.
- **Ingredientes:** Cereales, legumbres, proteínas vegetales. No es recomendable para las verduras.
- **Proceso:** Poner el alimento en la olla (si son legumbres se tienen que lavar y poner en remojo durante la noche o 12 horas con agua fría, excepto las judías del ganxet, que pueden cocerse directamente). Cubrir con agua fría (excepto para los garbanzos; en este caso el agua debe estar caliente o hirviendo) y añadir 1 tira o 5 cm de alga kombu. Hervir y retirar las pieles que puedan soltar. Cerrar la olla, y cuando alcance su máximo punto de presión, bajar el fuego. La presión dentro de la olla permite subir la temperatura de ebullición por encima de los 100º C, haciendo que los alimentos se cocinen más rápidamente. Condimentar al final de la cocción con un chorrito de aceite y un poco de salsa de soja o sal (no antes, pues impide la cocción adecuada de las legumbres). Las judías y los garbanzos, 60-90 minutos, y las lentejas 45-60 minutos.

SALTEADO CORTO

- **Utensilios:** Sartén, cazuela o wok.
- **Ingredientes:** Cualquier clase de verdura o proteína vegetal, algas, setas.
- **Proceso:** Calentar el recipiente, añadir unas gotas de aceite o 3 cucharadas de agua. Incorporar inmediatamente las verduras o el alimento elegido, con una pizca de sal marina o salsa de soja. Saltearlas continuamente sin tapa con el fuego muy alto de 5 a 10 minutos. Tiempo de salteado corto: zanahorias, de 5 a 7 minutos; col china, de 3 a 5 minutos; coliflor, de 5 a 10 minutos y champiñones, de 5 a 7 minutos.

SALTEADO LARGO

- **Utensilios:** Sartén.
- **Ingredientes:** Cualquier tipo de verdura, preferiblemente de raíz, proteína vegetal.
- **Proceso:** Cortar las verduras y/o las proteínas en trozos grandes. Calentar la sartén, añadir aceite prensado en frío, agregar las verduras y/o las pro-

teínas y rehogarlas unos minutos con llama alta y una pizca de sal. Tapar la sartén, bajar al mínimo el fuego y cocer durante aproximadamente 40 minutos. Remover de vez en cuando para que no se peguen; si esto sucede, añadir un poquito de agua o caldo. Hacia el final de la cocción se puede agregar un condimento salado, como la salsa de soja y/o también jugo de jengibre o jugo concentrado de manzana.

VAPOR

- **Utensilios:** Cazuela especial para vapor o margarita de acero inoxidable o de bambú (opcional).
- **Ingredientes:** Cualquier tipo de verdura o fruta.
- **Proceso:** Colocar 1 o 2 cm de agua en el recipiente. Introducir la margarita y colocar las verduras o la fruta en trozos medianos con una pizca de sal marina. Para generar vapor siempre ha de estar puesta la tapa y la llama a fuego medio.

¿Qué debemos ingerir en cada comida?

> 66 Hagamos de cada comida
> un tributo a nuestra salud. 99
> **Dres. Forés-Pérez**

La Organización Mundial de la Salud (OMS), en un estudio nutricional realizado en 1991 con el fin de establecer recomendaciones nutricionales para erradicar las enfermedades crónicas de la civilización moderna, declaró lo siguiente:

—«El límite de ácidos grasos saturados presentes en la proteína animal terrestre, aves incluidas, debería ser del 0 % al 10 %.»

Es decir, que si no comemos proteína animal, lácteos o huevos, no pasa nada y, en el caso de tomarlos, la cantidad debería ser muy moderada. Por el contrario, sí deberíamos consumir de un 3 % a un 7 % de ácidos grasos poliinsaturados o de origen vegetal, presentes, como ya hemos visto, en los aceites de primera presión en frío, las semillas, las legumbres, los cereales integrales, el pescado y las algas.

—«En cuanto a los hidratos de carbono complejos –cereales integrales, legumbres y ciertas verduras–, de ellos debemos obtener entre el 50 % y el 70 % de nuestra energía.» Sin embargo, no se recomiendan los hidratos de carbono refinados, presentes en la bollería industrial, el pan blanco, la harina blanca, el arroz blanco, etc. En relación con los azúcares o hidratos de carbono de absorción rápida, dice el estudio que «hay que consumir entre un 0 % y un 10 %», es decir, que podemos no incluirlos en nuestra alimentación habitual y, en el caso de hacerlo, que sea con moderación y mejor si se hace en forma de fruta fresca. Los edulcorantes artificiales, como el aspartamo, no deberían consumirse.

—«En cuanto a la fibra, se recomienda consumir entre 16 y 24 gramos al día», es decir: hay que tomar habitualmente verdura o productos integrales, que son los que más fibra vegetal contienen. Sin embargo, hay que consumirla con moderación, para no perder minerales.

—Por lo que se refiere a las proteínas (además de la carne, los lácteos y huevos), las obtenemos del pescado, las legumbres, el seitán, el tofu, el tempeh. «El porcentaje recomendado es del 10-15 %», con lo cual su ingesta ha de ser también moderada.

Estas recomendaciones se traducirían en la siguiente proporción de lo que debemos consumir al día:

- 60-40 % de cereales integrales.
- 20-30 % de verduras, mejor si están cocinadas ligeramente; se debe evitar el exceso de verduras crudas, y tomar estas cuando comamos pescado o marisco o haga mucho calor.
- 10-20 % de proteínas, que, como ya hemos señalado, es mejor que sean de origen vegetal o procedentes del pescado.
- 7 % de semillas, aceites de primera presión en frío, algas, sal.
- 3 % de frutas y frutos secos.

Este es el motivo por el que en este libro os hemos mostrado los alimentos que creemos adecuados; y también cómo se cocinan los ingredientes, proponiéndoos recetas saludables según la estación del año, porque **nuestro principal objetivo es ayudaros a mantener vuestro cuerpo sano y equilibrado**.

Ahora, lo más importante será aprender a escuchar los ritmos de la naturaleza, los alimentos que ella nos ofrece en cada estación, y aprenderlos a cocinar según la época, para lo cual es fundamental que nos tomemos un poquito de tiempo para elaborarlos y así «conectarnos» con nosotros mismos y colaborar con nuestro equilibrio interno no solo a nivel físico, sino también a nivel mental y emocional.

Recordad todas las sugerencias que os hemos revelado en este libro en función de cada estación, ya sea sobre el tipo de alimentos o bien sobre la forma de cocinarlos. Es el momento de ponerlos en práctica. Recordad también que estas líneas generales variarán en momentos de desequilibrio o enfermedad; en este caso, las directrices las deberá indicar un profesional de la salud.

El objetivo al alimentarnos y cocinar adecuadamente es obtener la energía que nuestro cuerpo necesita para realizar todas sus funciones, además de disfrutar y divertirnos. No debemos pensar solo en lo que nos gusta, sino, sobre todo, en lo que nuestro cuerpo requiere.

DESAYUNO

Aconsejamos comenzar el día bebiendo un vaso de agua tibia para acabar con la sequía nocturna y eliminar los residuos acumulados en los órganos excretores. Después se puede tomar un vaso de agua tibia con miel y una o dos rodajas de limón fresco; esto ayudará a eliminar las bacterias dañinas del tracto gastrointestinal. Pasados 30 minutos, se puede tomar el desayuno.

Un buen desayuno debe contener alimentos nutritivos completos como por ejemplo:

- Cereal integral como arroz integral, mijo, quinoa o avena de forma cremosa, caliente (*véase receta P1*), que se pueden dejar ya cocinados y tomar por la mañana con un poco de leche vegetal (preferiblemente no de soja; mejor de almendra sin azúcar, de avena, de arroz o de quinoa u otras leches vegetales hervidas con un poco de sal durante 10 minutos; también se pueden tener hervidas previamente). Si se desea, añadir un poco de stevia, ágave, melaza o jarabe de arce para endulzar.
- O copos de avena, trigo sarraceno, arroz integral, mijo, maíz o quinoa dejándolos todos ellos en remojo durante la noche (para que sean más fáciles de digerir): se les puede añadir una cucharada sopera de germen de trigo o también frutos secos y frutas secas con ralladura de limón y canela.

- O pan integral de levadura madre tostado, con mantequilla de frutos secos (diluida en agua caliente hasta obtener una consistencia como de mayonesa; así será más fácil de tomar y de digerir), o mantequilla de zanahoria, o cebollas, o patés vegetales, o seitán, o tofu a la plancha, o pescado con germinados, así como con mermeladas –sin azúcar ni edulcorantes artificiales– o compotas. Algún día también podremos optar por tomar tortas de cereales.
- O fruta, exclusivamente (sin cítricos), pero solo en los meses de más calor.
- O sopa de miso con verduras –es excelente cuando nos sentimos con poca energía– seguida de un plato de crema de cereales.

Podemos acompañar estos platos, además de con la sopa, con otras bebidas como café de cereales (que aporta minerales y ayuda a la digestión), té de tres años (que reduce la grasa y mejora la digestión), té Mu (que da mucha fuerza al organismo), té verde (que es ligero y con algo de teína) o zumo natural, preferiblemente de zanahoria: de zanahoria, manzana y limón, o de zanahoria, manzana y remolacha.

Por la mañana deben evitarse las proteínas de origen animal, como queso, carne, jamón o huevos, así como los alimentos ácidos, como el yogur o los cítricos.

COMIDA

Media hora antes de cada comida hay que beber un vaso de agua para mantener la sangre fluida y, por tanto, capaz de absorber los nutrientes y distribuirlos entre las células. El agua, además, ayuda a incrementar los jugos digestivos y evita que la bilis se vuelva demasiado espesa. Sin embargo, beber demasiada agua u otras bebidas durante la comida diluye los jugos digestivos, lo que causa indigestión y aumento de peso, por lo que debería evitarse. Es aconsejable, en cambio, beber otro vaso de agua 2 horas y media después de cada comida; así se restituye a la sangre el agua que requiere.

Al contrario de lo que sucede en otros países, donde la comida es ligera y la cena más copiosa pero más temprana, en España, debido a los horarios y las distancias, esta forma de comer no es posible. Aquí la del mediodía es la ingesta más importante de la jornada, aunque no sea el mejor momento para digerir y metabolizar los alimentos –sobre todo si luego hay que seguir trabajando–. Es importante elegir bien los alimentos y que la comida no sea rica en proteína animal y grasas, que nos podrían hacer pasar las dos horas siguientes en un estado de sopor.

Por ello, para estar bien nutridos pero con energía, lo ideal sería comenzar la comida con una sopa vegetal o un caldo caliente, que estimulará la secreción de los jugos gástricos, fortaleciendo la digestión. Continuaremos luego con un plato combinado donde haya como ingrediente principal un cereal integral (en general en mayor cantidad que el resto de ingredientes), junto con pescado o proteína vegetal, verdura de raíz y verdura verde poco cocinada, y esto será lo último que comamos. En caso de que nos apetezca verdura cruda o ensalada, mejor comerla al final y al mediodía, no para cenar, y solo si tenemos fuerza digestiva o hace calor. Y podremos

terminar la comida con un té o un café de cereales.

En caso de que nos apetezca fruta, mejor que esté cocinada; solo deberíamos tomarla si antes hemos comido pescado y no otra proteína vegetal, pues dificultaría la digestión y absorción de la proteína causando fermentación, lo que nos provocaría síntomas tan desagradables como hinchazón de barriga, malestar general, pesadez...

Si tuviéramos que comer fuera de casa, seguiríamos la misma pauta, ya que por suerte hay muchos restaurantes que han ido ampliando la carta incluyendo el tipo de alimentos que estamos comentando; de no ser así, no hay que preocuparse excesivamente, e intentaremos elegir de forma saludable según lo que haya en ese momento. Por ejemplo, generalmente suele haber en todas las cartas sopas o cremas de verduras; si no, escojamos un plato de pasta con pescado o verduras o legumbres con verduras, para terminar con verduras o ensalada, según la estación. Intentemos asimismo evitar los postres dulces o ricos en azúcares refinados, pues estos nos producirán un descenso de la energía muy importante, lo que dificultaría nuestro objetivo. Y, si se desea, tomemos un té digestivo o infusiones.

CENA

Debe ser ligera y si es posible antes de las 8 de la noche, ya que después hay pocas secreciones digestivas. Una comida pesada al anochecer se queda en parte sin digerir.

Es el momento para complementar según lo que hayamos comido durante el día, viendo de qué grupo hemos tomado menor cantidad. Así, si en el desayuno y en la comida ha habido un buen aporte de cereales y proteína, tomaremos más verduras. Si ha sido a la inversa, abundante en verduras, debemos hacer hincapié en los cereales y proteínas vegetales, preferiblemente, siempre y cuando la cena sea temprano. Si es tarde, ha de ser ligera, por ejemplo una crema de verduras dulces o sopa de verduras con algas, algo de cereal y alguna legumbre o proteína vegetal. Algún día también podríamos cenar una sopa deshidratada de las que ya venden preparadas, pero esta opción es solo para los días en los que realmente llegamos tarde y no tenemos tiempo de cocinar o estamos muy cansados. Porque si no cenamos adecuadamente, nos costará conciliar el sueño y que este sea reparador; en consecuencia, al día siguiente, nos levantaremos cansados y sin energía.

Mejor evitar comer carne, huevos, frutos secos, pescado o cualquier otra proteína animal. Evitar asimismo los yogures, los quesos, las frutas y ensaladas, que tienen un elevado contenido natural en bacterias, las cuales, durante la noche, al estar en el entorno caliente y húmedo del intestino delgado, fermentan y producen indigestión. Es conveniente también prescindir de los fritos y de tubérculos como la patata.

Es recomendable comenzar con una sopa caliente o una crema de verduras y, a continuación, la complementaremos con lo que nos haya faltado durante el día. Si tomamos pescado, mejor acompañarlo de verduras, evitando las crudas. Si hemos consumido mucha verdura y proteína en la comida o ya fuera tarde o no tuviéramos hambre, podríamos optar por una crema

de cereales del desayuno o compota de fruta, cuyo sabor es dulce y nos ayudará a relajarnos. Si llegáramos tarde a cenar, es muy recomendable merendar por la tarde; en este caso, escojamos entre algunas de las opciones que tenemos para el desayuno.

Es importante, y en esto nunca insistiremos suficientemente, que las recetas de nuestros menús sean variadas. Es muy típico, o al menos es algo con lo que nos encontramos a menudo en la consulta, que aprendamos unas cuantas recetas y las repitamos mucho haciéndolas muy simples (no solo siempre las mismas y de la misma forma), y esto, a la larga, aunque se trate de alimentos saludables, nos perjudicará, porque nos aburrimos y dejamos de sorprender a nuestro sistema digestivo y a nuestro sistema inmune. Es esencial variar, así como jugar con distintas formas de cocción; es mucho más divertido y hará que el cambio de alimentación sea más agradable y duradero.

También es importante que haya diferentes consistencias en la misma comida, es decir, que no todo sea blando o muy cremoso, o todo húmedo o seco. ¡Hay que mezclar! Por ejemplo, platos de consistencia cremosa con algo crujiente. Sucede lo mismo con los sabores, que es mejor que sean diferentes; que no todo sea salado o dulce, sino mezclar, ahí está la clave.

Pero hay que ser pacientes con nosotros mismos, así como entusiastas y atrevidos y, poco a poco, iremos perfeccionando y dominando los diferentes estilos de cocción, alimentos y sabores a medida que vayamos practicando. Escuchar los efectos que producen en nosotros es importante, para saber cómo nos sentimos después de comer, y así iremos escogiendo lo que mejor se adapta a nuestras características personales y, sobre todo, a la estación en la que nos encontremos, respetando el equilibrio natural de cada momento. Por ello, es importante conocer qué alimentos hay en cada estación, cuáles se adaptan mejor a ellas y qué estilo de cocción es el más aconsejable según la época del año.

CONSEJOS

- Es importante que las comidas sean regulares porque facilitará que el sistema digestivo funcione de manera adecuada. Y hay que comer en función del apetito, no del ansia de comer.
- Beber de 6 a 8 vasos de agua, mejor si es filtrada (el mejor sistema es el de «ósmosis inversa»), fuera de las comidas.
- Comer sentados y lo más tranquilos y relajados posible, evitando la televisión o la lectura, para que nuestro sistema digestivo pueda segregar la cantidad adecuada de jugos y facilitar la digestión.
- Una vez hemos terminado de comer, sería importante mantenernos sentados unos minutos para que los alimentos puedan «asentarse» correctamente en el estómago.
- Tomar 1-2 piezas de fruta fresca al día, si hace calor o tenemos fuerza digestiva suficiente. La fruta debe ser madura y de la estación; otra opción es tomar zumos de fruta recién preparados. Sea

como sea, es mejor tomarla siempre con el estómago vacío, pues si se ingiere junto con otros alimentos puede producir fermentación, hinchazón y diarrea e impedir que se absorban los nutrientes adecuadamente. Y es mejor tomar un solo tipo de fruta cada vez, es decir, no mezclarlas. El mejor momento es a media mañana o a media tarde o para desayunar, sin nada más.

Si la fruta se recolecta en el árbol antes de su maduración, carece de gran parte de sus vitaminas y azúcares naturales, lo que puede irritar las paredes intestinales, sin mencionar la toxicidad de los productos químicos que se le añaden para que madure fuera del momento que le es propio. Por ello recomendamos que los alimentos sean biológicos.

- Conviene comer 8-12 almendras al día. Si se dejan en remojo por la noche se digieren mejor, y si no, mejor tostadas.
- Evitar los restos de comidas, excepto los cereales y legumbres, que se pueden guardar uno o dos días; el resto pierde su fuerza vital. Los alimentos congelados también pierden su fuerza vital.
- Evitar calentar o cocinar con microondas, pues desintegra la estructura molecular de los alimentos y destruye su fuerza vital. Los alimentos que no tienen dicha fuerza no se pueden digerir, ni asimilar adecuadamente.
- Las bebidas y los alimentos se han de tomar a temperatura ambiente o calientes.

Glosario

ACEITE
Todos serán de primera presión en frío y biológicos.

- Al aceite de **oliva** obtenido de la primera presión en frío, sin refinar, se le llama aceite virgen. Es el mejor para freír. No es muy nutritivo, pero sí sabroso, y combate el colesterol.
- Si es de **sésamo**, consumir a diario, en pequeña cantidad, pero no para freír; por su riqueza en lecitina favorece la formación de células nerviosas.
- El aceite de **lino** es muy nutritivo; mezclado con el de sésamo protege las glándulas, y son estupendos cuando hay problemas de piel. Tomar 1-2 cs, 3-4 días a la semana.
- El de **maíz** se utiliza sobre todo en repostería por el parecido de su sabor con el de la mantequilla. Recomendado para el control del colesterol en sangre.

Lo ideal es utilizar varios y mezclarlos en aliños, por ejemplo.

ALGAS MARINAS

Son una fuente excelente y muy asimilable de minerales.

Variedades:

- **Arame:** Es un alga que tiene un efecto beneficioso sobre el sistema cardiovascular y el reproductor. De sabor dulce, puede remojarse durante 5 minutos y añadirse a ensaladas, verduras, pastas, proteínas vegetales, o servirla ligeramente cocinada.

- **Dulse:** De color rojo púrpura, es la de mayor contenido en hierro y la segunda, después de la nori, en proteínas. De sabor ligeramente picante. Remojar 2 minutos, escurrir y cortar. No usar el agua de remojo. Consumida en Europa desde hace miles de años, dice la leyenda que los guerreros vikingos y los celtas la masticaban antes de la batalla. Especialmente indicada en las personas con anemia y problemas gastrointestinales y en las embarazadas.

- **Espagueti de mar:** Contiene 9 veces más hierro que las lentejas y su valor proteico supera al del huevo. Aporta 8 aminoácidos esenciales y 9 no esenciales. Es un alga silvestre. Se recomienda remojarla unos 30 minutos, desechar el agua y cocinarla con tapa con un fondo de agua, añadiendo jugo concentrado de manzana, hasta que el alga esté blanda o el líquido se haya evaporado.

- **Hiziki:** Es un alga muy rica en minerales, hasta un 34 %. Su contenido en calcio es 14 veces superior al de la leche de vaca. Se utiliza para preparar salteados, con proteínas vegetales, en ensaladas y verduras cocidas. Se recomienda remojarla unos 30 minutos, desechar el agua y cocinarla con un fondo de agua durante 2 minutos, desechar el agua y cocinarla de nuevo con tapa con un fondo de agua, añadiendo jugo concentrado de manzana, hasta que el alga esté blanda o el líquido se haya evaporado. Entre otras propiedades, fortalece el pelo y tonifica la piel. En Japón se la considera un secreto de belleza.

- **Kombu:** Es un alga rica en calcio y en hierro, así como en vitaminas A y B. Interviene favorablemente en las patologías del tiroides, en la artritis, en la colitis, en las enfermedades degenerativas, etc. Evita la hipertensión y la gota. Ablanda las fibras del resto de los alimentos que se incluyen en el cocinado. Se usa en caldos, sopas, estofados, condimentos, para cocinar leguminosas y proteínas vegetales. También puede servirse frita.

- **Nori:** Es un alga especialmente rica en proteínas y en vitamina B_{12}. Contiene vitamina A en mayor proporción que el resto de las algas. Su consumo está especialmente indicado en problemas de la piel y de la vista, en la arteriosclerosis y en las etapas de crecimiento infantil. Reduce el colesterol y favorece la digestión. Se encuentra en el mercado en paquetes de hojas finas de color verde oscuro. Solo es necesario tostarlas ligeramente y añadirlas troceadas a sopas, ensaladas, cereales o pastas.

- **Wakame:** Muy rica en minerales (18 %). Contiene también mucho calcio. Muy indicada en problemas de pelo y uñas. Ablanda las fibras de los alimentos con los que se cocina y su sabor es suave. Hay que remojarla durante 10 minutos y añadirla a cualquier plato: ensaladas, sopas, cocidos, estofados, verduras, cereales, proteínas vegetales y condimentos.

- **Agar-agar:** Gelatina o espesante natural, de sabor neutro y con pocas calorías. Solo la utilizamos en postres. La proporción para preparar gelatina es de 1 parte de agar-agar por 5 partes de líquido; se cuece hasta deshacer los copos y se deja enfriar. Para confirmar la cantidad necesaria, una vez deshecha, ponemos un poco de la gelatina en un plato, lo movemos ligeramente y, si espesa enseguida, ya tenemos la proporción correcta; si aún queda líquida, añadiremos más alga. A este método se lo conoce como la «prueba de la gota».
- **Espirulina:** Microalga de color verdeazulado, que crece en aguas de lago. De alto contenido en proteínas, aminoácidos esenciales minerales, todas las vitaminas del grupo B... Fomenta la depuración, es laxante y disminuye el apetito. Pero recomendamos no utilizar en caso de embarazo.

AMARANTO (CEREAL)

Propiedades: De procedencia azteca, sagrado para los incas y cultivado por los mayas, es muy rico en aminoácidos, vitamina C, fibra y proteínas, y contiene el doble de calcio que la leche.

Aumenta la resistencia física, con lo que es estupendo para los deportistas. Recomendable en las mujeres embarazadas, los lactantes, bebés y niños en general. Combinado con arroz ayuda a reconstituir los pulmones débiles. Bueno para la digestión.

Hay que tomarlo acompañado de otros cereales.

Algunos científicos lo consideran el maná del futuro, por su resistencia a la sequía, su facilidad de cultivo y su gran valor nutritivo.

Cocción: Lavar bien cambiando varias veces el agua, dejar en remojo 10 minutos y cocinar con 1 parte de agua a fuego mínimo, con tapa, hasta que el agua se evapore, aproximadamente 10 minutos.

AMASAKE
Crema dulce obtenida por fermentación del arroz con levadura de koji. Se compra ya preparado. Lo utilizamos en postres o como bebida diluido con agua caliente.

ARRORUZ
Harina blanca y fina, sin olor ni sabor, obtenida a partir del almidón de raíces y tubérculos de algunas plantas tropicales. Lo utilizamos como espesante.

ARROZ INTEGRAL (CEREAL)
Es el cereal más equilibrado de todos, por ello es básico en nuestra alimentación. Es el que mejor predispone a la serenidad mental y al sosiego. Nutre el sistema nervioso, nos aporta energía de buena calidad.

Propiedades: Excelente fuente de hidratos de carbono complejos que nos proporcionará azúcar en sangre de forma estable y prolongada. Rica fuente de aminoácidos esenciales, que junto con las legumbres nos aportará una fuente de proteína completa. Además contiene vitaminas, especialmente del grupo B, y minerales como potasio, magnesio y hierro.

Gracias a su bajo contenido en sodio y alto en potasio, adquiere un poderoso efecto depurativo y ayuda a reducir la hipertensión arterial.

Al ser integral contiene 10 veces más fibra que el arroz blanco. Esta fibra aporta la mayor parte de aminoácidos, vitaminas y minerales. Además, la celulosa que forma esta fibra insoluble nos ayudará a arrastrar los productos de desecho de nuestros intestinos. Asimismo, estas moléculas fibrosas retienen los azúcares resultantes de la digestión y los van liberando a lo largo del proceso digestivo, favoreciendo nuestro índice glicémico, obteniendo así una energía estable y duradera.

Entre las vitaminas que contiene, tenemos la niacina, que ayuda a reducir los niveles de colesterol. Por todo lo expuesto, podemos afirmar que es un alimento imprescindible para aquellas personas que padecen diabetes, problemas circulatorios, hipercolesterolemia, dislipemias, problemas de estreñimiento, hipertensión, así como para los celíacos y, por supuesto, en dietas de adelgazamiento, pues regula el peso. También fortalece el bazo y el páncreas y suaviza el estómago, tonifica el pulmón y el sistema respiratorio.

Cocción: 1 parte de cereal y 2 partes de agua durante 40 minutos.

Encontraremos diferentes clases de arroz, pero destacaremos principalmente:

- **Arroz de grano corto**, que se considera el más equilibrado y proporcionado en minerales, carbohidratos y proteínas.
- **Arroz de grano medio.**
- **Arroz de grano largo.**

- **Arroz integral dulce:** Arroz de sabor más dulce por su mayor contenido en almidón; es más graso, proteico y nutritivo que el normal. Se utiliza especialmente para la alimentación infantil y la elaboración del mochi, el vinagre de arroz y el amasake.
- **Arroz salvaje:** Planta emparentada con las gramíneas pero que no es propiamente un cereal. De color negro, refresca más que el normal. Alivia los dolores de espalda en personas muy estresadas. Se mezcla generalmente con el arroz normal en la siguiente proporción: 1 parte de arroz salvaje por 2-3 partes de arroz normal.
- **Arroz basmati:** Arroz de buena calidad, textura fina y buen aroma. Proviene de la India. Más ligero que los otros arroces. Aunque se comercializa normalmente precocinado, es mejor que el blanco, aunque es preferible utilizar el integral. **Cocción:** 1 parte de cereal y 2 partes de agua durante 40 minutos.
- **Arroz blanco:** Es más ácido y disminuye la energía.

AVENA (CEREAL)

Es muy nutritiva. Rica en ácidos grasos esenciales y aminoácidos. En el centro de Europa se toma en forma de *porridge* como desayuno. Contiene una sustancia estimulante, la «avenosa», y está recomendada para deportistas, trabajadores manuales, para aquellos que tienen que realizar mucho esfuerzo físico y en la astenia. Contiene gluten.

Propiedades: Fortalece la energía esencial, el sistema nervioso y el aparato reproductor. Refuerza el bazo y el páncreas. Elimina el colesterol del aparato digestivo y las arterias; fortalece los músculos cardíacos, los huesos y el tejido conjuntivo y aumenta las defensas.

Sería conveniente tomarla al menos una vez a la semana.

Cocción: 1 parte de avena y 2 partes de agua durante 10 minutos.

AZUKIS (LEGUMBRE-PROTEÍNA)

Pequeña alubia roja, de fácil digestión, originaria de Japón, cultivada igualmente en Europa y Estados Unidos Se utiliza dulce o salada. Muy rica en proteínas, es alcalinizante. Está especialmente indicada para tratar problemas de riñón y para personas con problemas intestinales. Apropiada para diabéticos. Se prepara como cualquier otra legumbre.

BEBIDA DE SOJA

Líquido blanco obtenido por trituración de la soja amarilla. Sirve para elaborar el tofu. Cocida puede utilizarse en salsas. ¡Se ha de hervir con una pizca de sal a fuego bajo durante 20-30 minutos antes de ingerirse!

BULGUR (CEREAL)

Trigo duro descascarillado, triturado y precocido al vapor. Es de cocción rápida y digestiva. Ideal para los días en que no tenemos mucho tiempo para cocinar. Contiene gluten.

Cocción: 1 parte de cereal y 2 partes de agua durante 15 minutos.

CAFÉ DE CEREALES

«Café» no estimulante, sin cafeína. Se consume instantáneo. Contiene cebada y otros cereales, así como legumbres, bellotas, achicoria, etc., tostados. Es un buen tónico para el riñón y favorece la concentración intelectual.

CEBADA (CEREAL)

Se cree que es uno de los primeros cereales de los que se alimentó el hombre.

Es un cereal completo, despojado únicamente de una parte de su envoltura externa, para que se digiera fácilmente. Contiene gluten.

Propiedades: Es un alimento refrescante y depurativo. Fortalece el bazo, el páncreas y los intestinos. Beneficia el estómago, la vesícula biliar, el hígado, el sistema nervioso y embellece la piel. Tiene propiedades calmantes, especialmente en inflamaciones de las vías digestivas y urinarias. Cocida, tiene propiedades recalcificantes en casos de desmineralización. Ayuda a eliminar residuos de proteína animal.

Cocción: 1 parte de cereal y 3-4 partes de agua durante 1 hora.

CENTENO

Se suele tomar en forma de pan, que debe ser de levadura madre. También se consume en copos que se han de hervir durante 30 minutos. Si se mastica bien, ayuda a regenerar el esmalte de los dientes, al ser rico en flúor. Contiene gluten.

Propiedades: Es el más depurativo de todos los cereales. Excelente fluidificante sanguíneo, limpia y renueva las arterias, lo que hace que sea un buen quelante para personas con arteriosclerosis. Flexibiliza los vasos sanguíneos y se recomienda en casos de hipertensión y enfermedades vasculares. Reenergetiza a las personas con anemia. Libera el estancamiento del hígado y ayuda a la formación de los músculos, las uñas, el pelo y los huesos.

CEREALES

Constituyen la base de una alimentación equilibrada según la OMS. Son uno de los alimentos más antiguos que se conocen y constituyen la base de la dieta en la mayor parte de culturas de la tierra. Si son integrales, se convierten en un alimento completo, que aporta casi todos los nutrientes que necesita el organismo. Lo ideal es tomarlos en grano, aunque en algunos casos, como el trigo, es mejor consumirlos en forma de pasta o harina, pues en grano el trigo es un poco indigesto. Los cereales integrales nos aportan más energía que los refinados y nos acidifican menos. También son una fuente de vitaminas, proteínas, grasas y nutrientes fundamentales para la nutrición de nuestro organismo.

CÚRCUMA

Especia en polvo de color amarillo, que se elabora a partir de la raíz del arbusto del mismo nombre; la utilizamos como colorante natural. Es sensible a la luz, con lo que debe conservarse en lugar oscuro. Mejora su absorción combinada con pimienta negra.

Propiedades: Potente antioxidante, energetizante y reconstituyente. Utilizado en la prevención y control de la acidez gástrica, los cálculos biliares y renales.

CUSCÚS (CEREAL)

Sémola de trigo duro, integral o semiintegral. Contiene gluten.

Cocción: 1 parte de cereal y 2 partes de agua; añadir al agua cuando esté hirviendo, tapar y cocer 5-7 minutos.

ESPAGUETIS SOBA (CEREAL)

Son una variedad de pasta elaborada con trigo sarraceno.

ESPELTA

Es un trigo de origen nórdico. Más rico en proteínas de alto valor biológico, grasa y fibra que el normal. Y no ha sufrido modificaciones genéticas, por lo que es menos alergénico que el trigo y se digiere mejor. Contiene gluten. Se consume preferentemente en forma de pan o germinada.

Propiedades: Tonifica la digestión, sobre todo en procesos hepáticos, úlcera de duodeno, gastritis, gases de origen emocional, diarrea, estreñimiento, colitis y alteraciones intestinales.

GOMASIO

Mezcla de 6 partes de sésamo tostado y triturado con 1 parte de sal marina. Se utiliza como condimento sobre el cereal.

Propiedades: Es una excelente fuente de calcio, fortalece el sistema nervioso, alivia la fatiga y los dolores de cabeza, ayuda a mejorar la circulación y remineraliza el organismo.

GUISANTES (LEGUMBRE)

Legumbre muy nutritiva, interesante para el control del colesterol y la estabilización del azúcar en sangre. Muy ricos en betacarotenos, ácido fólico, hierro y magnesio.

Al ser ricos en purinas, deben ser consumidos con moderación por aquellas personas que padezcan gota.

HABAS (LEGUMBRE)

Legumbre rica en proteínas, hierro y calcio que contiene una sustancia que interviene en el metabolismo de las grasas, evitando la adherencia del colesterol en las arterias. Nos ayudará a limpiar los riñones y a prevenir ataques de tos. Cuando son tiernas se pueden consumir crudas.

JENGIBRE

Raíz semitropical de sabor picante, que se emplea tanto en la cocina como en compresas externas por su efecto como calentador. Para extraer su jugo se lava y pela un trozo de jengibre fresco y se pasa por un rallador fino; finalmente se aprieta la pulpa entre los dedos.

Propiedades: Es antioxidante, antiséptico y expectorante. También tonifica y calienta. Estimula la circulación de la sangre y activa la energía vital, creando una acción de calentamiento. Ayuda a eliminar toxinas, mucosidades e infecciones pulmonares, entre otras propiedades. Es purgante, abre el apetito y favorece la expulsión de gases.

No recomendable en caso de gastritis o úlcera gástrica.

KAMUT (CEREAL)

Es la variedad de trigo más antigua que se conoce, al ser uno de los pocos cereales que no han sufrido ninguna manipulación genética, es mucho menos alergénico que el normal; su proporción en macronutrientes es sorprendente, aportando una alta cantidad de proteínas. Por otro lado dobla el contenido de algunos minerales respecto a otros cereales.

Propiedades: Entre sus principales propiedades terapéuticas, destacamos:
- Muy diurético, nos ayudará a depurar y eliminar la retención de líquidos.
- Bueno para la hipertension.
- Antioxidante.
- Ayuda en las alergias.
- Nutre el sistema nervioso.

KUZU

Almidón blanco obtenido de la raíz de la planta silvestre kuzu. Es utilizado para espesar sopas, salsas y postres. Se debe disolver siempre en agua o líquidos fríos y calentarlo después, removiendo para que no se formen grumos. Suele emplearse una cucharilla de café por taza.

Propiedades: Fortalece la mucosa intestinal y respiratoria y el sistema linfático, y da resistencia a las personas debilitadas.

LECHE DE AVENA Y LECHE DE ARROZ

Recomendaciones: Todas las leches son nutritivas pero difíciles de digerir, por lo que se recomienda **hervirlas durante al menos 5-10 minutos con un poco de sal marina** si no estamos muy energéticos o hace frío. Si nuestra digestión es lenta, podemos hervirlas con canela en rama y con piel de limón, jengibre o kuzu (el kuzu se disuelve en un poco de agua fría y se echa al final de la cocción, removiendo hasta que esta se espesa ligeramente).

La leche de avena puede requerir que se le añada un poco de agua, pues es un poco espesa.

Otra forma de hacer las leches más digestivas es disolver en ellas café de cereales instantáneo Yahno, Bambú, etc.

MAÍZ

Es el cereal más rico en grasas. No contiene gluten. El maíz es un cereal refrescante, depurativo y ligero. El maíz que consumimos habitualmente es un híbrido que no tiene poder regenerativo. Sin embargo, en América crece el maíz azul, que no es híbrido y tiene más proteínas, más hierro y el doble de manganeso que el amarillo.

Propiedades y recomendaciones: El maíz es diurético, aumenta el apetito y ayuda a regular la digestión. Ejerce una acción reguladora de la glándula tiroides. Es ligeramente laxante, pero no se digiere muy bien, por lo que hay que tomarlo de vez en cuando y preferiblemente en verano.

El aceite de germen de maíz, siempre prensado en frío, resulta aconsejable para personas con exceso de colesterol.

Las «palomitas» son un buen snack si no se salan demasiado.

MALTA

Cebada germinada y tostada usada tradicionalmente como el café.

MIEL DE CEREALES (MELAZAS)

Son el resultado de la fermentación natural del arroz, la cebada, el trigo o el maíz.

Propiedades: Nos permiten obtener el azúcar (las maltosas) del cereal gracias a los microorganismos que hacen la predigestión de los almidones. Ayudan a digerir y procesar mejor los alimentos. Regeneran la flora intestinal. Son el sustituto ideal de cualquier edulcorante. Aportan vitaminas y minerales y no producen bajadas de glucosa en sangre.

MIJO

Cereal sin gluten, de grano pequeño y amarillo, considerado el cultivo más antiguo del mundo.

Propiedades: Tiene un alto contenido en hierro y magnesio, por lo que es muy eficaz para combatir la fatiga física y psíquica, el estrés y la irritabilidad nerviosa.

- Fortalece piel, cabello, uñas, dientes y huesos, por su riqueza en sílice, zinc y magnesio.
- Muy adecuado en casos de anemia ferropénica, calambres musculares y embarazos debido a su alto contenido en hierro y ácido fólico.

- Contiene el triple de vitamina B_1, B_2 y B_9 que otros cereales, siendo muy aconsejable para mujeres embarazadas o en período de lactancia y para regenerar el sistema nervioso.
- Es el cereal más energético y muy remineralizante.
- Refuerza los riñones y alcaliniza. Aumenta la fuerza digestiva.
- Ideal en dietas de adelgazamiento.

Cocción: Lavar y escurrir previamente y poner en una cazuela 1 parte de mijo y 3 partes de agua, añadir una pizca de sal, tapar y llevar a ebullición y luego bajar el fuego; cocer durante 20-30 minutos. En otoño e invierno, tostar ligeramente antes de cocinar. Suele quedar apelmazado, lo que lo hace ideal para preparar croquetas o hamburguesas; si no queremos esta consistencia, remover ligeramente con un tenedor.

Conviene tomarlo entre 1-4 veces a la semana.

MIRIN

Es el vino de arroz. Se emplea para suavizar un pescado o un estofado. Su sabor es dulce.

MISO

Pasta de soja fermentada con sal marina y cereales. Es importante que no esté pasteurizado.

Propiedades: Es un alimento rico en proteínas, hidratos de carbono, grasas, vitaminas y minerales. También contiene aminoácidos esenciales para la regeneración orgánica y celular. Contiene enzimas y lactobacilos que tienen la capacidad de transformar y producir nuevos elementos nutritivos en el intestino, mejorando problemas de flatulencias, diarreas, etc.

Alcaliniza y limpia la sangre de impurezas, de los efectos nocivos del tabaco y el alcohol; beneficioso para problemas de piel y alergias en general.

Para su uso, tanto en sopas como en salsas, debemos diluirlo en líquidos calientes que no deberán hervir. Es conveniente cocinarlo un poco. Se aconseja una cucharadita de café por cada taza de sopa.

Variedades:
- **Mugi miso:** Soja y cebada.
- **Genmai miso:** Arroz integral y soja.
- **Kome miso:** Arroz blanco y soja.
- **Hatcho miso:** 100 % soja.
- **Miso blanco:** De fermentación mucho más corta, entre 5-7 semanas.

MOCHI

Arroz glutinoso, dulce, cocido, aplastado con un mortero o triturado para obtener una masa.

Propiedades: Fortalece los órganos internos. Da tono a la digestión, pues estimula el bazo. Útil después del parto y en casos de amenaza de aborto. Bueno en la lactancia, pues estimula la formación de leche. Se vende ya hecho.

NABO DAIKON

Nabo blanco largo con sabor parecido al rábano, acuoso y ligeramente picante, cuyo sabor se atenúa cocinándolo. Se consume fresco o seco. Favorece la eliminación de líquidos y de grasas estancadas, así como el moco acumulado en el cuerpo. Especialmente útil en la digestión de alimentos grasos.

PAN

Constituye la base de la dieta en numerosos países. El pan debe estar elaborado con harina completa o integral, biológica y con levadura madre, hecho en horno de leña, preferiblemente.

El **pan esenio** es un pan elaborado solo con trigo germinado.

PICKLES

Verduras lactofermentadas fácilmente digeribles. La fermentación láctica se lleva a cabo con sal. Durante la fermentación aumenta la cantidad de aminoácidos y vitaminas, se reduce la cantidad de toxinas y de nitritos y se forman bacterias lácticas que regeneran la flora intestinal, manteniéndola sana. Se pueden incluir de forma habitual en nuestra alimentación. El **chucrut** es el más conocido y disponible de las hortalizas lactofermentadas. Se puede cocinar unos minutos igual que el miso y mantiene todas sus propiedades. Es una excelente fuente de calcio.

POLENTA

Sémola de maíz precocida, de bajo valor nutritivo.

QUINOA

Cereal sin gluten, convirtiéndose en un cereal fundamental para los celíacos. Hay que lavarlo muy bien, pues contiene «saponina», que es una sustancia amarga que desaparece con el lavado.

Propiedades: Fuente de hidratos de carbono complejos, tiene un alto contenido en todos los aminoácidos esenciales, especialmente en lisina, lo que la hace muy nutritiva. Rica en calcio y ácidos grasos esenciales, minerales y vitaminas. Al ser integral es una buena fuente de fibra, muy energetizante y reconstituyente. Fortalece todo el cuerpo.

Estupenda para personas con mucho desgaste, deportistas y aquellos que tengan una digestión débil.

Cocción: 2 partes de agua hirviendo por 1 parte de cereal, añadir una pizca de sal, bajar el fuego y cocer con tapa durante 15 minutos. El grano aumenta el doble su tamaño.

SAL

La sal recomendada es la **marina sin refinar**, gruesa o fina. Se añadirá siempre durante la cocción de los alimentos, no directamente en el plato. No tomarla cruda.

SALSA DE SOJA (SHOYU)

Salsa de soja natural fermentada tradicionalmente con trigo y sal, entre 18 y 24 meses. Se debe tomar cocinada o como aliño mezclado con aceite y vinagre.

SALSIFI

Verdura de raíz, como una zanahoria larga de color oscuro por fuera. La pulpa es blanca como la del nabo, su sabor es neutro y es un excelente depurativo de la sangre.

SEMILLAS OLEAGINOSAS

- **Semillas de calabaza:** De color verde y planas, consumir ligeramente tostadas, que sirven como condimento o como aperitivo. Útiles en los problemas de próstata.
- **Semillas de girasol:** De color gris, consumir ligeramente tostadas, sirven como condimento o como aperitivo. Calmantes y refrescantes.
- **Semillas de sésamo:** Semillas oleaginosas, ricas en calcio, que se emplean tostadas como condimento en los platos. Muy nutritivas, son una excelente fuente de aminoácidos, concretamente de triptófano, precursor de la melatonina y la serotonina, convirtiéndose en un excelente regulador del sistema nervioso. Estimulan la producción de leche durante la lactancia y fortalecen el sistema inmunológico.

Hay *sésamo dorado*, que es completo, *sésamo blanco*, que está descascarillado, y *sésamo negro*, de sabor ligeramente más fuerte.

SEITÁN (PROTEÍNA)

Gluten de trigo cocido, llamado «carne vegetal» por su aspecto y su riqueza en proteínas. Es de gran digestibilidad y pobre en grasas y en hidratos de carbono. No deja residuos ácidos, lo que lo convierte en ideal para todas las edades. El gluten se aísla del almidón y del salvado y se deja hervir durante una hora y media con salsa de soja y alga kombu.

Aporta proteína de muy buena calidad. Es reconstituyente, lo que ayuda a reponer los tejidos tras el desgaste físico. Tonifica el hígado, ayuda a la musculatura y refuerza la flexibilidad de los huesos.

SHIITAKE

Variedad de seta de origen japonés, cultivada también en Europa y Estados Unidos. Realza el sabor de sopas y guisos. Indicada en problemas cardiovasculares. Favorece la desintoxicación del cuerpo cuando se consumen en exceso alimentos animales (carnes, huevos, embutidos, etc.).

SOBA

Pasta de trigo sarraceno parecida a los fideos, muy tonificante, que debemos tomar cuando deseamos aliviar rápidamente el cansancio.

SURIBACHI

Es un mortero japonés de cerámica, de forma menos cóncava que el nuestro; tiene en su interior unas estrías que facilitan el triturado o molido. Se acompaña de una mano de mortero de madera, llamado surikogi. Basta con introducir los ingredientes y frotarlos contra las paredes para que se rompan y se mezclen bien.

TAHÍN

Puré de sésamo completo o descascarillado (tahín blanco), tostado o sin tostar, con o sin sal marina. Recomendamos diluir con agua caliente, para hacer su consistencia más ligera y más fácil de tomar untado en pan o tortas o bien en salsas o aliños.

TAMARI

Salsa de soja fermentada con sal. El sabor es más fuerte que el shoyu. Se emplean unas gotas en espaguetis, verduras, etc. Hay que añadir unas gotas de tamari siempre antes de retirarlo del fuego, al final de la cocción.

Al igual que el miso, debe ser de fermentación natural y no pasteurizado. Sus efectos terapéuticos son similares.

TÉ

Variedades:

- **Té de Tres Años:** Ramas de té secadas y tostadas, muy pobres en teína (al cabo de tres años la teína prácticamente ha desaparecido), por lo que tonifican sin excitar. Es una bebida altamente remineralizante, ya que contiene 7 veces más calcio que la leche de vaca.

- **Té Bancha (de hojas):** Es un té digestivo y alcalinizante. Contiene muy poca teína. Sirve como base para un gran número de bebidas medicinales. Ayuda a reducir el colesterol y tiene un ligero efecto adelgazante.

  Modo de preparación: Infusión de una cucharada sopera de té en 1 litro de agua hirviendo. Este té debe quedar suave.

- **Té Jatoba:** La corteza de jatoba contiene una considerable cantidad de minerales y elementos como manganeso, silicio soluble y estroncio natural, muy

importantes para el metabolismo de los huesos. Además contiene un flavanoideo llamado astilbin que actúa como antioxidante y protector del hígado.

- **Té Kukicha (de ramitas):** Es un té remineralizante. Alcaliniza y combate el cansancio. Es digestivo y de propiedades similares al té Bancha. No tiene teína; lo pueden tomar los niños acompañado de zumo de manzana, cáscaras de naranja, etc.; combina bien con un sinfín de ingredientes.

  Modo de preparación: Hervir una cucharada sopera en 1 litro de agua durante 5 minutos. Se puede dejar reposar otros 10 minutos más.

- **Té de Tres Años con Regaliz:** Este té es dulce. Da energía, armoniza, calma y relaja. Se puede tomar a cualquier hora. El preparado con kukicha gusta a personas de cualquier edad y se puede tomar en cualquier estación. No abusar del regaliz si se sufre de hipertensión de origen renal.

  Modo de preparación: Hervir una cucharada sopera de regaliz desmenuzado en 1 litro de agua durante 5 minutos a fuego bajo; luego, añadir el té de tres años y proceder como en los casos anteriores.

- **Té Mu:** Este té vigoriza y tonifica todo el cuerpo, especialmente la sangre, la digestión, los riñones, las piernas y los órganos sexuales. Se aconseja beberlo durante el día, no por la tarde o antes de irse a dormir. Cuanto más tiempo de cocción empleemos, más potente es su efecto. Conviene empezar probando con una cocción de 10 minutos.

  Modo de preparación: Hervir una bolsa de té en 1 litro de agua durante

10, 20 o 30 minutos. Una vez hervida, la bolsa se puede aprovechar para una segunda vez hirviéndola con la mitad de agua.

- **Té Verde:** Brotes amarillos de té secos. Es más amargo y estimulante que el té de tres años. Contiene estimulante (cafeína), aunque puede ser medicinal para casos concretos, especialmente para ayudar a descargar grasas y acumulaciones de productos animales; para personas con colesterol alto o aquellas que quieran perder peso.

TEKKA

Condimento concentrado de color negro y de sabor parecido al miso. Está elaborado con verduras (loto, raíz de bardana, zanahorias, miso y aceite de sésamo) tostadas al fuego durante largas horas. Se usa en pequeñas cantidades espolvoreado sobre cereales, sopas o verduras para fortalecer la sangre en caso de anemia y cuando hay cansancio o decaimiento en general.

TEMPEH (PROTEÍNA VEGETAL)

Soja amarilla fermentada con el moho Rhizopus oligosporus, muy rica en proteínas de fácil asimilación. Se presenta en forma de placas cubiertas por un micelio blanco. Rico en vitamina B_{12}.

Si está crudo, debe cocinarse al menos durante 50 minutos.

De gran valor nutritivo, ayuda a desintoxicar el hígado y fortalece el sistema inmunológico, protegiendo el organismo de infecciones.

TOFU (PROTEÍNA VEGETAL)

Se obtiene cuajando la bebida de soja bajo la acción de sales de magnesio. Se le denomina «queso de soja». Es pobre en grasas y calorías, fácil de digerir, rico en proteínas completas que se asimilan en su totalidad, no contiene colesterol, pero sí acidos grasos esenciales, vitaminas del grupo B, que eliminan los depósitos de colesterol del cuerpo, fibra, antioxidantes, minerales e isoflavonas, haciéndolo especialmente indicado en las mujeres.

De sabor suave, combina bien con alimentos más fuertes y absorbe, también, el sabor de los ingredientes que lo acompañan.

Una vez abierto, se conserva en la nevera 3-4 días cubierto de agua fría, que hay que cambiar cada día.

- El **tofu fresco debe hervirse** siempre antes de cocinarse con una pizca de sal durante 10-20 minutos.
- **No es recomendable** mezclarlo en platos dulces o con frutas.

TRIGO SARRACENO (CEREAL)

Propiedades: De gran valor nutritivo, es un cereal muy energético, que no engorda y tostado es ligeramente alcalinizante. Debe tomarse sobre todo en otoño e invierno al menos 1 vez a la semana.

No contiene gluten.

Ayuda a la digestión. Alivia el cansancio y tonifica los órganos sexuales. Es antiinflamatorio.

Rico en minerales, sobre todo hierro, ácidos grasos insaturados y vitaminas principalmente del grupo B, contiene rutina (flavonoide), que fortalece los capilares y vasos sanguíneos, inhibe las hemorragias, reduce la presión sanguínea y aumenta la circulación hacia las manos y pies, por lo que será indicado en casos de: anemia, colesterol, hipertensión...

La rutina es un antídoto contra los rayos X y otros tipos de radiación.

Cocción: Lavar el grano y hervir 1 parte de cereal en 2 partes de agua, bajar el fuego y cocer durante 20-30 minutos con tapa. Al igual que el mijo, queda apelmazado, ideal para hacer croquetas o hamburguesas.

TOFUNESA ROSA
Ingredientes: 1 bloque de tofu fresco, una pizca de sal, 2 cs de aceite, 1 cs de miso blanco, 1/2 diente de ajo, 1 cp de jugo concentrado de manzana, 1 cs de vinagre de arroz, ketchup.

1 Hervir el tofu con una pizca de sal durante 5 minutos en agua de forma que tan solo lo cubra.

2 Escurrir el tofu e inmediatamente triturarlo con los demás ingredientes y un poco de agua de la cocción hasta que tenga una consistencia más bien espesa.

UDON (CEREAL)
Fideos gruesos elaborados con harina de trigo integral, harina de arroz integral y sal marina. De sabor más ligero que los fideos Soba.

UMEBOSHI
Ciruelas de sabor ácido fermentadas con sal marina y coloreadas con hojas de shiso durante un mínimo de 3 años.

Son un alimento altamente descontaminante. Alcalinizan la sangre y aumentan las defensas. Regeneran la flora intestinal, estimulan el intestino, el hígado y la vesícula biliar, desintoxicándolos.

Las ciruelas en puré son más fáciles de utilizar en la cocina. Se puede usar a diario 1/3 de ciruela, pero también en casos de diarrea o cuando se ha tomado demasiado azúcar o alcohol, pues eliminan el exceso de acidez en el estómago y en la sangre.

VINAGRE
Es el resultado de la fermentación acética del vino en contacto con el aire, que es invadido por la bacteria Acetobacter aceti.

Deberíamos usar siempre los de menor acidez. Todos deben ser de fermentación natural.

De menor a mayor acidez, tenemos estos vinagres: de **umeboshi** (2,6º), de **arroz** (4,5º), los que nosotros utilizamos habitualmente y el de **manzana** (5º) y de **vino** (6º-7º).

Agradecimientos

Queremos reconocer y dar nuestro agradecimiento a Toni Ribas, experto cocinero, por su colaboración en las recetas publicadas en este libro, ya que nos ha ayudado a darles una personalidad propia. A David Gasol, especializado en dietética y nutrición, por su colaboración en la confección del glosario.

A nuestro buen amigo Jordi Vilaseca, director de la prestigiosa escuela de hostelería Joviat en Manresa, por confiar en este proyecto desde el primer día y dejarnos sus magníficas instalaciones para la realización de los vídeos. A Marius Ferrer, jefe de cocina de la escuela de hostelería Joviat, que estuvo a nuestro lado en toda la grabación cuidando de que no nos faltara de nada. A los alumnos de esta escuela que nos ayudaron en los preparativos de los platos: Dan Ruiz, Gerard Soler y Ángel Rincón.

También nuestro agradecimiento a las diferentes empresas de alimentos naturales que tan generosamente nos han cedido sus excelentes productos: a Joan Picazos, director general de Biocop (www.biocop.es), y a Rosa Muñoz por la gestión con las empresas: Cal Valls, Oleander, Nutrialiments, Aliment Vegetal, Luque, Bonapasta, Terrasanta, Celnat, Machandel, Allos, Zuaitzo, Natumi, Lima, Mandolé, Sodasan.

A Rosa Torras, de la cristalería Torras de Manresa, que hizo las gestiones para que la prestigiosa marca alemana Villeroy

& Boch nos prestara su vajilla para poder presentar nuestros platos.

A la Floristería Brunea de Manresa, que nos cedió sus coloridas flores y plantas.

A todo el equipo de grabación del vídeo, Joan Soler (director de Cinefilms Productions: www.cinefilms.es), Marco Bertolio (ayudante), Cristina Pitouli (sonido) y en especial a Carlos Muñoz, que además de ser un gran cámara, realizó las magníficas fotografías de este libro.

A nuestra querida y gran amiga Palmira de la Morena, que nos ayudó en la decoración del plató.

A Sor Lucía Caram, por su alegría y energía y por haber querido colaborar en este libro con el prólogo.

A todos nuestros pacientes que no han dudado ni un instante en dar su testimonio en este libro de forma altruista y generosa, tanto aquellos cuya historia personal hemos publicado, como otros cuyo testimonio no hemos podido publicar por cuestión de espacio; a todos ellos, nuestro más cariñoso y sincero agradecimiento.

A todos y cada uno de nuestros pacientes, quienes han sido la inspiración para poder realizar este libro-DVD.

A nuestros padres, que nos han apoyado siempre en todo.

Y para terminar, y no menos importante, nuestro amor y nuestro agradecimiento a nuestras hijas María y Clara, que han colaborado en la parte organizativa del vídeo y han tenido la paciencia y comprensión durante estos dos años de arduo trabajo confeccionando este libro sin quejarse por las horas robadas a la familia.

Su opinión es importante.
En futuras ediciones, estaremos encantados
de recoger sus comentarios sobre este libro.

Por favor, háganoslos llegar a través de nuestra web:

www.plataformaeditorial.com

Los creadores del exitoso blog de cocina
«Las recetas de mamá» reúnen en este libro
recetas sin gluten con platos dulces y salados
para disfrutar de la comida cada día.